U0439857
28

林慶彰 總策畫
民國時期稀見期刊彙編
第一輯

文學科研究年報
言語と文學①②

臺北帝國大學研究年報

第廿八冊

臺北帝國大學文政學部

文學科研究年報

言語と文學

第一輯

四段活用動詞の構成について

安藤正次

目次

第一章　動詞生態の考察

國語の動詞の發達について論じた、從來の諸家の學說は、主として、文語の正格五種、變格四種の活用の原形に關する問題を取扱つてゐるものであり、しかも、その原形に關する意見が、大體において、一元說・二元說・多元說の三つにわかれてゐることは、學界周知のとほりである。　たゞし、そのいはゆる多元說なるものは、東條義門が「山口栞」のうちに、「ちかき比、又、此八ちまたをみながら、五十音のくだりに、ことぐく四段の活きあり、中二段活下二段活などいふべきさまにはたらけるは、皆後の訛なりなどさだむる人はたいで來にたるはうれたきわざなり。」といつてゐる類で、くはしい論證を缺いてゐるから、これはしばらく埒外におくべきものであらう。　明治初年の頃の、田中義廉の「小學日本文典」に、有・得・爲の三語について、「此詞は、凡百の動作に涉るを以て、何れの動詞も、此三詞の意を含まざるものなし。　故にこれを動詞の根元といふ。」とあるのは、多元說の如くであるが、その眞意は明白でない。さすれば、動詞活用の原形論は、一元説と二元説との二つになるが、學者の說くところ、多くは一元說に傾いてゐて、二元說を唱へたものとしては、わづかに大島正健を擧げ得るに止まる。氏は、四段と下二段とが動詞の原形であつて、他はみな變形であるといふことを主張されたのである。

一元說を主張した學者は多い。そのうちでも、四段活用もしくはその類似の活用を以て原形に擬した人が多い。古くは鹿持雅澄の如き、次いでは、また Hoffmann, Aston, Chamberlain の如き、その後に及んでは、草野清民・金澤庄三郎・大矢透・龜田次郎の諸氏の如き、いづれも、その細論に至つては、それぞれ趣を異にするものがあり、精粗質を同じうしてゐないけれども、歸するところは、ほゞ同樣である。この間にあつて、また、異說を樹てるものが無いではなかつたが、特筆に及ばない。

動詞の活用に關する原形論の如きものは、今日においては、ほとんど學徒の顧みるところとなつてゐない。按ふに、活用の原形に關する問題の發生するに至つたのは、同じ動詞が、時の古今によつてその活用を異にするものがあるのによつて示唆を受けたからであらうと思はれ、畢竟これは、國語の史的展開の問題と相關聯するものなのであるが、それが行きづまつた觀を呈してゐるのは、原形論の出發點に歪曲があるからである。 何故かといふに、從來の活用原形論の根柢には「詞の八ちまた」以來の活用の種類の觀念が常につきまとつてゐた。 正格五種、變格四種のいづれが古の形であるか、在來の九種の活用のうちて、どれが原形に近いかといふことは考へられて來たが、活用なるものが、そもそもどういふ性質のものであるか、動詞はいかに構成されてゐるかといふやうな、根本的の問題は、あまり學者の注意を惹くには至らなかつたのである。 たまたま、さういふ問題に觸れたやうに思はれるものがあつても、それは、與へられた形式を基礎としての考察に過ぎなかつたのである。 近世に至つて、はじめて、學者によつて組織だてられた活用體系を解體して、端的に動詞の本質を把握し、動詞の構成を檢討することによつて、かへつて、活用の原形なるものも探求され得るのであらう。 然るに、五十音圖にもとづいて立てられた活用體系を墨守して、これによつて動詞展開の跡をたどらうとしたのが、かつての原形論者である。わたくしは、在來の活用體系が間違つてゐるといふのではない。また五十音圖による組織に誤謬があるといふのでもない。わたくしのいはんとするところは、動詞の展開は、與へられた活用體系の形式をたよつての展開ではない、活用體系の形式は、或時期における動詞の活用形態の記述に過ぎない、したがつて、眞に動詞の展開を明らかにしようとするならば、われわれは、よろしく活用體系の形式の背後における、動詞の生態に接しなければならぬといふことにある。

動詞の生態とは何であるか。動詞の生態といふのは、動詞の生きてはたらいてゐる狀態の義である。生物に生態變化のある如く、動詞にも、外物に應じての生態の變化がある。生態を詳らかにし、生態變化の跡を明らかにするのは、動詞の史的展開を正しく認識する所以である。柳田國男氏は、「國語史新語篇」（一〇一頁以下）の「動詞增加」といふ項目の下に「今日の標準語支持者の省みて自ら恥ぢなければならぬのは、是ほど複雜又多様なる人生の活動、それを一つ〳〵見分けて居る微細なる感覺が、今尙五分四以上まで言ひ現はす言葉を與へられて居らぬことである。」といひ、「前には、日本人は時の用に應じてよく動詞を作り今はそれを戒められて居るのである。 人の發する聲はなり高しなどと謂うて、ナルといふのが古い動詞であつた。 ドナルやウナルは東京でも毎日使つてゐる。 之を地方は新たにもう一段と分化させようとして居たのである。」と說き、次の表をあけて、「是等を訛音であり、ウナルを正しいなどといふ理由はどこにもない。」といつてゐられる。

ヂナル	大聲でどなる	栃木縣東部
ガナル	怒號する	足利、館林、飛驒
ガシナル、ガチナル	どなる	靜岡縣
ワナル	わめく、うなる	鳥取縣
ヅナル	どなる	津輕、北海道
ギヤナル	どなる	米澤市
ワナル	叫ぶ	加賀、能登、越前

オナル　　　　うめく、唸る　　　　備中中部

同氏はまた、メクといふ形の動詞について、次のやうに述べてゐられる。

メクを下につけた動詞には、ウゴメク・キラメク・トキメクなどが古い所にもあり、ワメク・ウメクは文學にも有るので、ちやんと辭典には認められて居る。語原は知らぬが「外から」はさう見える」といふ感じであり、メカスといふ語さへ今は定まつた意味を以て行はれて居る。この前例が確かなればこそ、田舍では色々の何メクをこしらへるのである。

ホメク	ほとぼる、熱氣内に在ること	日向
ホトメク	欸待する	柳河、佐賀
ドメク	馬鹿に騷ぐ	壹岐
ソソメク	私語する	島原半島
バメキドリ	あとり、蠟嘴島	霧島地方

是等は何れも九州の方言だが、奥州の田舍にも胸をワクメカスだの、鼻をフンフラメカスだの、ホクホクメカスだのといふ語が行はれ、八丈の島で

も笑ふことをヘヘラメクと謂つた。即ち遠境に於て相似て居るのである。

以上の柳田氏の所説は、動詞なるものの生態を横に見たのである。具體的にいへば、ナル・メクの方言的分布を取扱つたのである。これに對して、動詞なるものの生態を縱に見たのは「文藝春秋」(昭和十一年八月)における島津久基博士の「語尾の『る』」と題する隨筆である。島津氏は、かもる(鴨獵をする義)ホルモル(ホルモンを注射する義)などの例を擧げ「愚痴る」・「皮肉る」・「サボル」ぐらゐなら、もうすつかり通用語だから珍しくもないが、「かもる」「ホルモル」では註釋附きでないと意義の捕捉に頗る困惑させられるといひ、近來新しく動詞が出來る時には、語尾に「る」をとる形が多いやうに見受けられるが「かうした傾向は、初めて今日に現れたのではなく、中世末から近世初へかけても、御伽草子や古淨瑠璃に「變化る」といふ語が見え、江戸時代には、「道化る」といふ用法が行はれ「洒落る」もよく使はれ、三馬の浮世風呂に「かんばつた調子」といふ語も出てゐて、先蹤をなしてゐるのである。」と說き、轉じて、元來、日本語の動詞には「る」の語尾を有するものが少くないことと、在來の日本文法の慣行では、名詞や漢語洋語等が動詞になるには佐行變格の「す」と複合することになつてゐたが、それが、いつのまにか「す」の他に「る」と複合する形が、もう一つふえたやうな姿であると論じ、新しく名詞から動詞へ轉成するるに「る」をとる傾向が漸次增大するやうになつたのは、「(一)「る」を語尾に有する形が動詞として最も普通なのと、(二)「す」などを附するより發音が頗る簡易なのと(三)歐米語流入の今日それら諸國語には「る」音に終るものが少くないのに對する模倣心理と及び(四)かうした一團の出來て行くに伴ふ傳染性とが、愈〻この傾向を增進せしめて來るものであらうと察せられる。」と述べてゐられる。

こゝに擧げたやうな例は、いづれも新語の發生に重きをおかれた取扱ひ方であつて、動詞の生態の考察としては部分的のものではあるが、かういふ見方を擴充して、或は、横に、或は縱に、十分に動詞の生態を考察することによつて、われわれは、よく動詞の生命に觸れることが出來、動詞の本質を明らかにすることが出來るのであるが、文獻の徵證に乏しき上代に關しては、この事は、至難である。わたくしは、まづその考察の基礎をつくる意味において、四段活用に屬する動詞の構成について、一應の分解を試みたのであるが、本篇は、その報告の一部分に過ぎない。

第二章　語幹・語尾の關係から見た、四段活用動詞の概觀

四段活用に屬する動詞は、カ・サ・タ・ハ・マ・ラの各行にわたつて居り、語幹と語尾との關係も、この種の動詞にあつては、比較的に明白であるから、動詞構成の概觀を試みるのは、まづこの種のものからはじめるのを便宜とする。しかしながら、同じく四段活用に屬するものにあつても、語幹が單音節であるものと、語幹が複音節であるものとの間には、動詞構成の過程に、相異の存することの認められる場合がある。したがつて、わたくしは、これを二種に分つて、まづ最初に、語幹が單音節であるものについて、次に、語幹が複音節であるものについて考察を下して行かうと思ふ。

第一節　語幹が單音節であるもの

[一]　加行四段活用の動詞

この類の動詞は、語尾「く」-**KU**をもつものと、語尾「ぐ」-**GU**をもつものとの二つに分れる。

[甲]　語尾に「く」-**KU**をもつもの

一、　語幹が「あ」列のもの

A-, XA-

a-ku (明・開・飽)	ka-ku (書・搔)	sa-ku (離・割・咲)
ṭa-ku (焚)	na-ku (鳴・泣)	ha-ku (掃・吐・佩)
ma-ku (卷・枕・蒔)	ya-ku (燒)	wa-ku (分・湧)

二、　語幹が「い」列のもの

I-, XI-

i-ku (生)	ki-ku (聞)	si-ku (及・敷)
hi-ku (引)		

三、語幹が「う」列のもの

U, XU-

u-ku (浮)	ku-ku (漏)	su-ku (好・透)
tu-ku (着・附)	nu-ku (拔・貫)	hu-ku (吹・振)
mu-ku (向・脱)	yu-ku (行)	

四、語幹が「え」列のもの

E-(?), XE-

se-ku (塞)

五、語幹が「お」列のもの

O-, XO-

o-ku (置)　ko-ku (扱)　to-ku (説・解)

no-ku (退)　ho-ku (祝・壽)　yo-ku (除)

〔乙〕 語尾に「ぐ」-GUをもつもの

一、語幹が「あ」列のもの

A-(?), XA-

ka-gu (嗅)　na-gu (和)　ha-gu (剝)

ma-gu (求)

二、語幹が「い」列のもの

I-(?), XI-(?)

三、語幹が「う」列のもの

U-(?), XU-

tu-gu (繼)　nu-gu (脫)

四、語幹が「え」列のもの

E-(?), XE-

ne-gu（祈）

五、語幹が「お」列のもの

O-(?), XO-

ko-gu（漕）　so-gu（殺・削）　to-gu（研）
mo-gu（捥）　wo-gu（招）

〔三〕佐行四段活用の動詞

この類の動詞は、すべて、語尾「す」-SUをもつ

一、語幹が「あ」列のもの

A-(?), XA-

ka-su（貸）　sa-su（指）　ta-su（足）
na-su（爲・鳴）　ma-su（増）

二、語幹が「い」列のもの

I-(?), XI-(?)

三、語幹が「う」列のもの

U-(?), XU-

su-su (煤)　hu-su (伏)　mu-su (蒸)

四、語幹が「え」列のもの

E-(?), XE-

ke-su (着・消)　he-su (減)　me-su (召・見)

五、語幹が「お」列のもの

O-(?), XO-

o-su (押)　ko-su (越)　so-su (勵)

no-su (似)　ho-su (干)　mo-su (燃)

wo-su (食)

〔三〕 多行四段活用の動詞

この類の動詞は、すべて、語尾「つ」-TUをもつ。

一、語幹が「あ」列のもの

A-(?), XA-

ka-tu（勝・搗）　ta-tu（立・断）　ma-tu（待）

二、語幹が「い」列のもの

I-(?), XI-

mi-tu（満）

三、語幹が「う」列のもの

U-, XU-(?)

u-tu（打）

四、語幹が「え」列のもの

E-(?), XE-

ke-tu（消）

五、語幹が「お」列のもの

O-(?), XO-

mo-tu（持）

[四] 波行四段活用の動詞

この類の動詞は、語尾「ふ」**-HU** をもつものと、語尾「ぶ」**-BU** をもつものとの二つに分れる。

[甲] 語尾に「ふ」-HU をもつもの

一、語幹が「あ」列のもの

A-, XA-

a-hu（逢・合）　ka-hu（買・飼）　na-hu（綯）

ha-hu (這)　ma-hu (舞)

二、語幹が「い」列のもの **I-, XI-(?)**

i-hu (言)

三、語幹が「う」列のもの **U-(?), XU-**

ku-hu (食)　su-hu (吸)　nu-hu (縫)

yu-hu (結)

四、語幹が「え」列のもの **E-(?), XE-**

we-hu (酔)

五、語幹が「お」列のもの **O-, XO-**

o-hu (追)　　ko-hu (乞・請)　　- so-hu (添)

to-hu (問)

〔乙〕 語尾に「ぶ」-BUをもつもの

一、 語幹が「あ」列のもの

A-(?), XA-

ta-bu (賜)

二、 語幹が「い」列のもの

I-(?), XI-(?)

三、 語幹が「う」列のもの

U-(?), XU-(?)

四、 語幹が「え」列のもの

E-(?), XE-(?)

五、語幹が「お」列のもの　**O-(?), XO-**

to-bu (飛)　yo-bu (呼)

[五] 麻行四段活用の動詞

この類の動詞は、すべて、語尾「む」**-MU**をもつ。

一、語幹が「あ」列のもの　**A-, XA-**

a-mu (編)　ka-mu (噛・醸)　ta-mu (回)

ha-mu (食)　ya-mu (病・止)

二、語幹が「い」列のもの　**I-, XI-**

i-mu (忌)　si-mu (染・沁)

三、語幹が「う」列のもの

U-, XU-

u-mu (績・倦・生)　ku-mu (組・汲)　su-mu (住・澄)

tu-mu (積)　hu-mu (踏)

四、語幹が「え」列のもの

E-(?), XE-

we-mu (笑)

五、語幹が「お」列のもの

O-(?), XO

ko-mu (込)　so-mu (染)　to-mu (富)

no-mu (祈・飲)　yo-mu (讀)

〔六〕良行四段活用の動詞

この類の動詞は、すべて、語尾「る」-RUをもつ。

一、語幹が「あ」列のもの

A-(?), XA-

ka-ru (刈・借・狩)　sa-ru (去)　ta-ru (足)

na-ru (成・鳴)　ha-ru (張・墾)　ma-ru (痢)

ya-ru (遣)　wa-ru (割)

二、語幹が「い」列のもの

I-, XI-

i-ru (入)　ki-ru (切)　si-ru (知)

ti-ru (散)　hi-ru (痢)

三、語幹が「う」列のもの

U-, XU-

u-ru (賣)　ku-ru (繰)　su-ru (摺)

tu-ru (釣)　nu-ru (塗)　hu-ru (觸・降)

yu-ru (搖)

四、語幹が「え」列のもの

E-, XE-

e-ru (選)　te-ru (照)　ne-ru (練)

we-ru (彫)

五、語幹が「お」列のもの

O-, XO-

o-ru (織)　ko-ru (樵・凝)　so-ru (剃・反)

to-ru (取)　no-ru (乘・告・罵・似)　ho-ru (欲・掘)

mo-ru (守・漏)　yo-ru (寄・縒)　wo-ru (折)

第二節　語幹が複音節であるもの

【二】加行四段活用の動詞

この類のものは、語尾に「く」-**KU** をもつものと、語尾に「ぐ」-**GU** をもつものとの二つに分れる。

【甲】語尾に「く」-**KU** をもつもの

一、語幹が「あ」列音に終るもの

XA-

aga-ku (跪)
ida-ku (抱)
itada-ku (戴)
inana-ku (嘶)
irara-ku (苛)
usiha-ku (領)
usuha-ku (領)
kagaya-ku (輝)
kadura-ku (鬘)
kawa-ku (乾)
kuda-ku (砕)
sasa-ku (躁進)
sasaya-ku (囁)
sida-ku (萎)
suda-ku (集)
tata-ku (叩)
turara-ku (列)
hatata-ku (霹)
hatara-ku (動)
hihira-ku (疼・嚩)
hira-ku (開)
hoza-ku (祝)
makura-ku (枕)
mata-ku (待)

mıga-ku (磨)	moga-ku (捥)	wanana-ku (顫)
wena-ku (噪)		

二、語幹が「い」列音に終るもの

XI-

ari-ku (歩)	kuzi-ku (挫)	nabi-ku (靡)
hazi-ku (彈)	hibi-ku (響)	mitibı-ku (導)

三、語幹が「う」列音に終るもの

XU-

aru-ku (歩)	isusu-ku (急)	itu-ku (齋)
usohu-ku (嘯)	unadu-ku (頷)	omomu-ku (赴)
katabu-ku (傾)	katamu-ku (傾)	kadu-ku (潛)
kidu-ku (築)	sibu-ku (濕)	sidu-ku (沈)
somu-ku (背)	tutu-ku (突)	turanu-ku (貫)
habu-ku (羽振・省)	hutu-ku (忿)	hubu-ku (吹雪)

midu-ku (瀆)

四、語幹が「え」列音に終るもの

XE-

ume-ku (呻)　sasame-ku (私語)　soyome-ku (戰)

nage-ku (嘆)　namame-ku (媚)　mane-ku (招)

wome-ku (叫)

五　語幹が「お」列音に終るもの

XO-

ugo-ku (動)　odoro-ku (驚)　kudo-ku (詢)

kororo-ku (嘶咽)　sizo-ku (退)　taziro-ku (逡巡)

todo-ku (屆)　todoro-ku (轟)　tororo-ku (蕩)

nozo-ku (除・臨・覗)　hodo-ku (解)　modo-ku (戻)

wonono-ku (悸)

[乙]　語尾に「ぐ」-GU をもつもの

一、語幹が「あ」列音に終るもの

XA-

azaya-gu (鮮明)　usura-gu (薄)　una-gu (頸)

tuna-gu (繫)　yahara-gu (和)　yura-gu (搖)

wena-gu (噪)　wera-gu (喙咲)

二、語幹が「い」列音に終るもの

XI-

kasi-gu (炊)　hisi-gu (拉)

三、語幹が「う」列音に終るもの

XU-

ahu-gu (仰)　ayu-gu (搖)　sinu-gu (凌)

susu-gu (濯)　mitu-gu (貢)　yuru-gu (搖)

四、語幹が「え」列音に終るもの

XE-

ahe-gu (喘)　nahe-gu (塞)　huse-gu (防)

五、語幹が「お」列音に終るもの

XO-

iso-gu (急)　oyo-gu (泳)　kuturo-gu (寛)

sino-gu (凌)　soso-gu (濯・注)　soyo-gu (微動)

[三]　佐行四段活用の動詞

この類の動詞は、すべて、語尾に「す」-**SU**をもつ。

一、語幹が「あ」列音に終るもの

XA-

aka-su (明)　ama-su (餘)　ika-su (生)

ida-su (出)　ugoka-su (動)　odoroka-su (驚)

oka-su (犯)　kaza-su (翳)　kata-su (鍛)

kuda-su (下)　koga-su (焦)　kora-su (凝)

ṣaga-su (探)　suma-su (澄)　tada-su (正)

tira-su (散)　tera-su (照)　toka-su (溶)

toza-su (閉)　naka-su (泣)　naga-su (流)

nará-su (馴)　niga-su (逃)　hata-su (果)

hita-su (浸)　madoha-su (惑)　maha-su (廻)

mida-su (亂)　megura-su (廻)　moya-su (燃)

mora-su (漏)　yaha-su (和)　yosa-su (任)

waka-su (湧)　wata-su (渡)

二、語幹が「い」列音に終るもの

XI-(?)

三、語幹が「う」列音に終るもの

XU-

amu-su (浴)　utu-su (移・寫)　kusu-su (藥治)

kudu-su (崩)　sugu-su (過)　tahu-su (倒)
tuku-su (盡)　tubu-su (潰)　haru-su (開・晴)
yatu-su (窶)

四、語幹が「え」列音に終るもの

XE-

kahe-su (返)　kutugahe-su (覆)　tame-su (試)

五、語幹が「お」列音に終るもの

XO-

uruho-su (潤)　oko-su (起)　oto-su (落)
odo-su (怖)　obọ-su (思)　omoho-su (思)
oyobo-su (及)　oro-su (下)　kiko-su (聞)
kobo-su (溢)　koro-su (殺)　sato-su (諭)
sugo-su (過)　toho-su (通)　tomo-su (灯)
toyomo-su (響)　nago-su (和)　r oko-su (遣)
modo-su (戻)　moyoho-su (催)　yado-su (宿)

yoko-su (讒)

〔三〕 多行四段活用の動詞

この類の動詞は、すべて、語尾に-TUをもつ。

一、語幹が「あ」列音に終るもの　XA-

aga-tu (頒)　　ayama-tu (過)　　uga-tu (穿)
kata-tu (祟)　　kuda-tu (降)　　suda-tu (巣立)
soda-tu (育)　　haga-tu (放)　　hana-tu (放)
hida-tu (生育)　　heda-tu (隔)　　waka-tu (分)

二、語幹が「い」列音に終るもの　XI-

tagi-tu (湍)

三、語幹が「う」列音に終るもの

XU-(?)

四、語幹が「え」列音に終るもの

XE-(?)

五、語幹が「お」列音に終るもの

XO-

ugomo-tu .(蠢)　kako-tu (託)　tamo-tu (保)

(注意)　momi-du (紅葉)といふ動詞が、四段活用に屬するものとすれば、この類のものに、語尾 DU-をもつ一例を加ふべきである。

〔四〕 波行四段活用の動詞

この類の動詞も、語尾に「ふ」-**HU** をもつものと、語尾に「ぶ」-**BU** をもつものとの二つに分れる。

【甲】語尾に「ふ」-HUをもつもの

一、語幹が「あ」列音に終るもの

XA-

aga-hu (贖)　akina-hu (商)　agetura-hu (論)
ata-hu (能)　atana-hu (仇)　atuka-hu (扱)
anana-hu (輔)　ahesira-hu (饗)　amana-hu (和)
ara-hu (洗)　araga-hu (諍)　isaka-hu (諍)
izana-hu (誘)　iha-hu (祝)　ukaga-hu (窺)
usina-hu (失)　uta-hu (謡)　utaga-hu (疑)
uduna-hu (諾)　uba-hu (奪)　ubena-hu (諾)
uyama-hu (敬)　okona-hu (行)　otona-hu (音問)
kaga-hu (耀)　kakadura-hu (關)　katara-hu (語)
kada-hu (勾)　kana-hu (適)　kira-hu (霧・嫌)
kura-hu (食)　saka-hu (逆)　sakara-hu (逆)
sasura-hu (流離)　samora-hu (侍)　sizima-hu (縮)

sita-hu (慕)	sitaga-hu (從)	situra-hu (設)
sina-hu (萎)	siraga-hu (觸)	suma-hu (住・爭)
sokona-hu (損)	taga-hu (違)	takuha-hu (貯)
tataka-hu (戰)	tama-hu (賜)	tamera-hu (躊躇)
tayuta-hu (逡巡)	tara-hu (足)	tika-hu (誓)
tiga-hu (違)	tuka-hu (使)	tuga-hu (番)
tukuna-hu (償)	tuta-hu (傳)	tumina-hu (罰)
tera-hu (衒)	tomona-hu (伴)	nazora-hu (擬)
nadusa-hu (馴)	nara-hu (習)	nigiha-hu (賑)
nina-hu (荷)	nega-hu (願)	negira-hu (勞)
nera-hu (狙)	notama-hu (宣)	hakara-hu (計)
hara-hu (拂・祓)	haraba-hu (匍匐)	hikodura-hu (引)
husa-hu (適・良)	hureba-hu (觸)	huruma-hu (振舞)
hetura-hu (諂)	maga-hu (擬)	makana-hu (賄)
mazina-hu (呪)	mazira-hu (交)	matura-hu (服從)
mahina-hu (賂)	muka-hu (向)	mora-hu (貰)

yasina-hu (養)　yasura-hu (休)　yara-hu (追)

yoba-hu (呼)　wadura-hu (煩)　wara-hu (笑)

wiyama-hu (敬)

二、語幹が「い」列音に終るもの

XI-

hiri-hu (拾)

三、語幹が「う」列音に終るもの

XU-

uru-hu (潤)　kuru-hu (狂)　suku-hu (救)

tagu-hu (比)　nugu-hu (拭)　huru-hu (振)

四、語幹が「え」列音に終るもの

XE-

uke-hu (誓)

五、語幹が「お」列音に終るもの

XO-

agito-hu (噞喁)	adomo-hu (率)	araso-hu (争)
iko-hu (憩)	igono-hu (?)	isayo-hu (猶豫)
ito-hu (厭)	iro-hu (綺)	uturo-hu (移)
oso-hu (襲)	oho-hu (覆)	omo-hu (思)
kagayo-hu (燿)	kakó-hu (圍)	kaso-hu (掠)
kayo-hu (通)	kiso-hu (競)	kiho-hu (競)
saso-hu (誘)	samayo-hu (迷)	sarabo-hu (曝)
soro-hu (揃)	tadayo-hu (漂)	tiribo-hu (散)
tukisiro-hu (突)	tukuro-hu (繕)	tudo-hu (集)
toko-hu (咀)	totono-hu (調)	niho-hu (匂)
niyo-hu (呻)	nogo-hu (拭)	noro-hu (咒)
hadiro-hu (恥)	hiro-hu (拾)	mato-hu (纏)
mado-hu (惑)	mayo-hu (迷)	mokoyo-hu (委蛇)
yato-hu (雇)	yoso-hu (粧)	yoro-hu (具)

yorobo-bu (悦)

〔乙〕 語尾に「ぶ」-BUをもつもの

一、語幹が「あ」列音に終るもの

XA-

uka-bu (浮)　era-bu (選)　ora-bu (叫)
nara-bu (並)　mana-bu (學)

二、語幹が「い」列音に終るもの

XI-(?)

三、語幹が「う」列音に終るもの

XU-

sinu-bu (忍・偲)　husu-bu (燻)　musu-bu (結)
yuru-bu (緩)

四、語幹が「え」列音に終るもの

sake-bu (叫)　take-bu (叫)　mane-bu (學)

muse-bu (噎)

五、語幹が「お」列音に終るもの　**XO-**

aso-bu (遊)　oyo-bu (及)　koro-bu (嘖・轉)

yoroko-bu (悅)　uto-bu (疎)

[五]　麻行四段活用の動詞

この類の動詞は、すべて、語尾に**-MU**をもつ。

一、語幹が「あ」列音に終るもの　**XA-**

aka-mu (赤・明)　akara-mu (赤)　asa-mu (嘲)

ata-mu (敵)　isa-mu (勇)　itona-mu (營)

iba-mu (嘶)　ubena-mu (諾)　oiba-mu (老)

kaga-mu (屈)　kata-mu (姧)　kiza-mu (刻)

kita-mu (懲)　kiba-mu (黄)　kuya-mu (悔)

sira-mu (白)　tata-mu (疊)　tawa-mu (回・撓)

naya-mu (惱)　niga-mu (苦)　nira-mu (睨)

neta-mu (妬)　hasa-mu (挾)　hara-mu (孕)

higa-mu (僻)　musiba-mu (蟲喰)　yakusa-mu (不平)

yuga-mu (歪)　woga-mu (拜)

二、語幹が「い」列音に終るもの

XI-

ayasi-mu (怪)　isosi-mu (勤)　itukusi-mu (慈)

itohosi-mu (愛)　utukusi-mu (愛)　umukasi-mu (欣)

uruhasi-mu (愛)　kurusi-mu (苦)　sihozi-mu (馴)

tanosi-mu (樂)　tidi-mu (縮)　tutusi-mu (愼)

tomosi-mu (乏・羨)　natukasi-mu (懐)　hadukasi-mu (辱)

三、語幹が「う」列音に終るもの

XU-

'ayu-mu (歩)	udu-mu (埋)	kaku-mu (圍)
kasu-mu (霞)	kuku-mu (含)	kuru-mu (包)
suku-mu (縮)	susu-mu (進)	suzu-mu (涼)
taku-mu (工)	tayu-mu (撓)	tutu-mu (包)
nadu-mu (泥)	niku-mu (憎)	nusu-mu (盗)
nuru-mu (溫)	hiru-mu (褒)	huku-mu (含)
yuru-mu (緩)		

四、語幹が「え」列音に終るもの

XE-

sone-mu (嫉)　hage-mu (勵)

五、語幹が「お」列音に終るもの

XO-

awo-mu (青)	ido-mu (挑)	uto-mu (疎)
kaḳo-mu (圍)	kuro-mu (黑)	kono-mu (好)
siro-mu (白)	tano-mu (賴)	tubo-mu (莟)
todo-mu (止)	toyo-mu (響)	nago-mu (和)
nigo-mu (和)	nozo-mu (望・臨)	híso-mu (潛)
madoro-mu (睡)	yodo-mu (淀)	yoyo-mu (?)

[六] 良行四段活用の動詞

この類の動詞は、すべて、語尾に**-RU**をもつ。

一、語幹が「あ」列音に終るもの

XA-

aka-ru (赤・明)	aga-ru (上)	asa-ru (求)
ata-ru (當)	atatama-ru (暖)	atuma-ru (集)

ama-ru (餘)	ayaka-ru (肖)	aratama-ru (改)
ika-ru (怒)	iza-ru (膝行)	ita-ru (至・到)
itaha-ru (勞)	ituha-ru (僞)	imaha-ru (齋)
ukeba-ru (受張)	ugonaha-ru (集侍)	uzukuma-ru (蹲)
umaha-ru (蕃息)	okota-ru (怠)	kaka-ru (掛)
kagama-ru (屈)	kaza-ru (飾)	kasana-ru (重)
kasikoma-ru (畏)	kata-ru (語)	katama-ru (固)
kaha-ru (變)	kita-ru (來)	kiyomaha-ru (清)
kusa-ru (腐)	kuta-ru (腐)	kuda-ru (降・下)
kuba-ru (配)	kuma-ru (配)	kuhaha-ru (加)
koya-ru (臥)	saka-ru (離)	saga-ru (下)
sadama-ru (定)	saya-ru (障)	sida-ru (垂)
siba-ru (縛)	sima-ru (締)	sema-ru (迫)
soma-ru (染)	tata-ru (崇)	tatanaha-ru (疊)
tadusaha-ru (携)	taba-ru (賜)	tabaka-ru (謀)
tama-ru (溜)	tuduma-ru (約)	tuha-ru (惡阻)

turana-ru (連)　tona-ru (隣)　toma-ru (留)
nadusaha-ru (馴)　naba-ru (隱)　nama-ru (訛)
haka-ru (謀・計)　hata-ru (促)　habaka-ru (憚)
hika-ru (光)　hita-ru (浸)　hutaga-ru (塞)
hena-ru (離)　maka-ru (罷)　masa-ru (優・增)
matuha-ru (纏)　managa-ru (拱)　maha-ru (廻)
mida-ru (亂)　yumaha-ru (齋)　yowa-ru (弱)
waka-ru (分)　woha-ru (終)

二、語幹が「い」列音に終るもの

XI-

kagi-ru (限)　kisi-ru (軋)　siki-ru (頻)
sosi-ru (譏)　tagi-ru (滾)　tigi-ru (契)
tutusi-ru (嗛)　nigi-ru (握)　nizi-ru (躙)
nonosi-ru (罵)　hasi-ru (走)　mazi-ru (交)
modi-ru (捩)　wasi-ru (走)

三、語幹が「う」列音に終るもの

XU-

anaku-ru (覈)	anadu-ru (侮)	abu-ru (炙)
oku-ru (贈)	kaku-ru (隠)	kanagu-ru (抛棄)
kuku-ru (括)	kugu-ru (潜)	kuyu-ru (燻)
sagu-ru (探)	sahedu-ru (囀)	sugu-ru (選)
susu-ru (啜)	tuku-ru (作)	tudu-ru (綴)
nabu-ru (嬲)	nemu-ru (眠)	hahu-ru (放・散・屠)
hohu-ru (屠)	megu-ru (廻),	yabu-ru (破)
yusu-ru (揺)	yudu-ru (譲)	wasu-ru (忘)

四、語幹が「え」列音に終るもの

XE-

azake-ru (嘲)	kake-ru (翔)	kage-ru (陰)
kahe-ru (歸・返)	sige-ru (繁)	sime-ru (濕)
sube-ru (辷)	hine-ru (拈)	huke-ru (耽)

五、語幹が「お」列音に終るもの

XO-

amo-ru (天降)	ino-ru (祈)	ogino-ru (睎)
oko-ru (起)	ogo-ru (奢)	oso-ru (恐)
oto-ru (劣)	kawo-ru (薫)	kumo-ru (曇)
kozo-ru (擧)	koho-ru (氷)	komo-ru (籠)
sato-ru (覺)	sibo-ru (絞)	siwo-ru (萎)
soso-ru (唆)	tado-ru (辿)	tuno-ru (募)
tumo-ru (積)	tuyo-ru (强)	toho-ru (通)
tomo-ru (灯)	naho-ru (直)	nigo-ru (濁)
noko-ru (殘)	nozoko-ru (除)	nobo-ru (登)
habiko-ru (蔓)	hoko-ru (誇)	hoso-ru (細)
hodoko-ru (施)	mamo-ru (守)	mino-ru (實)
modo-ru (戻)	motoho-ru (徘徊)	yado-ru (宿)
yokoho-ru (横)	wodo-ru (躍)	wowo-ru (撓)

第三章　語幹・語尾・形成素

前章にあげた動詞は、主として奈良朝・平安朝のものに例を求めたのではあるが、すべてを擧げ盡したわけではないことはいふまでもない。　しかし、わたくしの期するところは、これによつて大勢をうかゞふにあるから、その代表的のものは、ほゞこれに網羅されてゐるつもりである。

今、これらの四段動詞について、從來、語法上の常識のやうに考へられてゐた、語幹・語尾のわけ方が、果して學術的に正鵠を得たものであるかどうかといふことを、最初の問題としてとりあげてみる。

動詞における語幹と語尾とのわけ方において、普通にその分解の標準となつてゐるのは、それが、同一語中において、いつも變らぬ形であらはれて來るか、用ゐられる場合に應じて形を變へるか、要するに構成成分の形態の變・不變にある。「きく」(聞)といふ動詞についていへば、この語は「きかず」・「ききて」・「音樂をきく」・

「音樂をきく時」・「音樂をきけば」・「音樂をきけ」のやうに用ゐられるが、これらのいづれにあつても、「き」ki- の部分は變らない。しかし、他の部分は、その場合に應じて、「か」-ka「き」-ki「く」-ku「け」-ke といふやうに變つてゐる。そこで、變・不變の標準によつて、一つの動詞を二つの成分にわける考へ方が起つて來る。いつも變らない部分を、語の根幹と見て、これを語幹と名づけ、その根幹について動詞を形づくり、場合に應じて形を變へる部分を、語尾と名づけることになつてゐるのである。しかし、この變・不變といふことは、同一語中においてはじめて問題となるのである。横の關係における變・不變は、少くとも、語幹・語尾のわけ方については交渉をもたない。「きこす」(聞)といふ動詞は、「きく」(聞)といふ動詞と關係をもつてゐる語であるが、これは別語であつて、「きこさず」・「きこして」・「きこす」・「きこす時」・「きこせば」・「きこせ」のやうに用ゐられ、「きこ」kiko- といふ部分は「きこす」といふ同一語中にあつては、いつも變らない。であるから、「きこ」は、これだけを切離してみれば、「きか」・「きき」・「きく」・「きけ」と關係があるやうに見えるけれども、この「こ」を「きく」(聞)の語尾と同列におくことは、不當である。すなはち、變・不變といふことは、同一語中についてのみいはれることとなのである。したがつて、「きこす」といふ動詞では、「きこ」kiko-が語幹で「さ」-sa・「し」-si・「す」-su・「せ」-seは語尾である。

右のやうな語幹・語尾のわけ方が果してわが國語の性質にかなふものであるかどうかを學術的に檢討しようとするには、まづ前章第一節に擧げた動詞例についてみるのを便とする。右の動詞例は、いづれも二音節語であるから、その構成成分の分解は、首尾の二つにおいてのみ可能である。しかして、この分解の結果として得られた構成成分は、これを前記變・不變の標準に照らしてみるに、その首部の音節は、同一語中にあつて、常に不變のものであり、その尾部の音節は、同一語中にあつて、場合に應じて形を變へるものである。換言すれば、前章第一節に例示した動詞は、すべて二つの成分より成つて居り、その二つの成分は、變・不變の標準でわけられてゐる語幹・語尾のわけ方と一致してゐるのである。

もつとも、語幹と語尾とのわけ方については、ちがつた考をもつてゐる學者

もある。「きく」(聞)といふ動詞についても、これを、

ki-ka　ki-ki　ki-ku　ki-ke

といふやうに」わけないで、

kik-a　kik-i　kik-u　kik-e

とわけようとする考である。この說にしたがへば、kik-が語幹であり、a・i・u・eが語尾であるといふことになる。これは、一見したところでは、合理的であり、科學的であるやうにおもはれるが、わが國語の音韻的性質からみると、kik-といふやうな、子音に終はる語幹を想定することは、妥當でない（わたくしの舊著「古代國語の研究」二三九頁乃至二四一頁の所說は、これによつて訂正されるべきものである。）。國語の音節は、開音節であるのを、その特色としてゐる。子音で終る「語片」Ein Stück einer Wortformを、與へられた語詞の構成成分として考へることは、國語の音韻意識からみて、合理的でもなければ、科學的でもない。インド・ゼルマン語などのやうに、音節に閉音節のものもある言語の上においては、子音に終る語幹の想定も許され得るのであるし、また、與へられた語詞についての單音的分解も可能なのであるが、わが國語などの上に

おいては、言語の音韻的分解は、音節を單位とするのが、むしろ合理的であり、科學的であるといへる。　勿論、音韻組織の研究、音節構成の考察その他の方面において、單音の檢討の重要であることはいふまでもないことであるし、また、もとより假定の上に成立つ語根Wurzelの探求にあつては、語詞の單音的分解も必要であることは當然であるが、上記のやうな、與へられた語詞を考察の對象としてゐる場合においては、音節觀念が十分に考慮されなければならない。

上述のやうな見解に本づいて、語幹・語尾の性質を檢するに、語幹なるものは、與へられた動詞の基本成分であり、語尾なるものは、與へられた動詞の構成を規定する補助成分であるといへる。　しかして、この補助成分は、一方では、他語との關係において、語法的の性質をもつてゐる形式成分であり、一方では、語幹との關係において、意義上の分化をあらはす內容成分である。　この意味からすれば、語幹・語尾といふ傳統的の稱呼よりは、むしろ、基本成分・補助成分といふ名稱の方が、よくその性質をあらはしてゐて、よいやうにみえる。　しかしながら、基本成分といひ、補助成分といふ名稱は、かへつて誤解を招きやすい。それは、前章第二節に例示したやうな、複雜性をもつてゐる動詞についてみればわかる。

「てらす」(照)といふ動詞は、「てら」が語幹であり「す」が語尾である。「うごかす」(動)といふ語は、「うごか」が語幹であり、「す」が語尾である。この場合においては、「てら」「うごか」がそれぞれの動詞の基本成分であり、「す」は、それぞれの動詞の補助成分であるといふ見方に誤はない。しかし、基本成分・補助成分といふことは、これらの基本成分中のものについてもいひ得るのである。與へられた動詞の基本成分が、さらに幾つかの成分に分解し得られる場合に、それらについて、これを基本的のものと補助的のものとにわけることも出來る。前記の例についていへば、「てらす」は、「てる」を本語としてゐる派生語であつて、「てらす」の「てら」は「て」と「ら」とに分解され得る。しかるに、その「て」は「てる」といふ動詞にあつては、その基本成分であり、「ら」は「てる」といふ動詞にあつては、その補助成分である。したがつて、やゝもすれば「てらす」といふ動詞の場合でも、「て」がその基本成分であると見られ「ら」と「す」との二つが「てらす」における補助成分と見られる。「うごかす」といふ動詞にあつても、これが「うごく」の派生語であるがために「うご」が「うごかす」の基本成分であり「か」も「す」も「うごかす」における補助成分と見られがちである。　語幹即基本成分、語尾即補助成分といふ立場から、いへば、これは考へ方の混線である。　しかも、動詞の構成を論ずる上においての、その構成成分について、基本成分と補助成分を考へわけるといふことも必要缺くべからざることであるから、われわれは、この混線を避ける方法を見出さなければならぬ。わたくしの考へるところによれば、この混線を避けるには、語幹・語尾といふ稱呼は、これを、同一語中における成分について、變・不變を標準して區分する場合に用ゐ、基本成分・補助成分の名稱は、同系語の比較考察の結果として得られた、意義的中核を成してゐると認められる成分を基本成分と名づけ、形式的および内容的にこれに附隨してゐる成分を補助成分と考へるのがよいと思ふ。

かくの如くにして、「てる」・「てらす」を通じて「て」は共通の基本成分「ら」も「す」も、共に補助成分「うごく」・「うごかす」を通じて「うご」は共通の基本成分「か」も「す」も、共に補助成分といふことになる。

しかしながら、右のやうにこれをわけただけであると、補助成分といふものの範疇がはつきりしない虞がある。　すなはち、こゝにいふ補助成分のうちには、基本成分について、語幹を形づくるものと、語幹について語尾となるものとがある。　わたくしは、これらの補助成分を一括して、形成素と名づけ、語幹を形づくるものを語幹形成素、語尾となるものを語尾形成素と名づけることにする。　しかし、語幹形成素と語尾形成素とは、全く別種のものではない。　或場合には語尾形成素であるものが、他の場合には、語幹形成素になる。「てる」(照)といふ語を例としてみるに、te-**ra**, te-**ri**, te-**ru**, te-**re** の形成素 -ra, -ri, -ru, re は、この語の場合にあつては、語幹 te に對して語尾であるから、これを語尾的形成素といつてもよいけれども、この「てる」から派生した「てらす」(照)といふ動詞にあつては、「てる」の場合には語尾であつた形成素の -ra が、語幹のうちの形成素として、語幹の構成成分となり、別に -su といふ形成素が、語尾の地位に立ち、te-**ra**-su となるからである。　語尾を接尾辭といふ名でよぶことの妥當でない所以も、かういふ場合の例でわかる。 te-**ra**, te-**ri**, te-**ru**, te-**re** の場合に、この -ra, -ri, -ru, -re を接尾辭と名づけるならば、te-**ra-sa**, te-**ra-si**, te-**ra-su**, te-**ra-se** の場合には、-sa, -si, -su, -se を接尾辭としなければならないことはいふまでもないが、同時にまた、-ra- をどう取扱ふかが問題となる。 或は、この **-ra-** を語幹接尾辭 Stammsuffix としたり、或は、これを te- と -su との間に挿入された接辭、すなはち挿入辭 Infix としたりするやうに、これはいろ〳〵に取扱はれるが、接尾辭とか挿入辭とかいふ名稱は、元來或特定な語辭をさすに用ゐられるものであるから、場合によつて資格が變り、職能が違つたりする語片にこの名稱を適用することは、誤解を招きやすく、宜しきを得る所以ではない。 その本質を示す名稱としては、一般的にその本質に適する形成素といふ名稱を用ゐる方がよいと考へられる。

たゞし、わたくしが、こゝに形成素といつてゐるのは、ブルーグマン Karl Brugmann が Indogermanische Forschungen. Bd. XIV. 1903. 所收論文 Zu den Superlativbildungen des Griechischen und des Lateinischen の脚註に述べてゐるやうな Formans (ブルークマンは、その大著 Grundriss der Vergleichenden Grammatik der indogermanischen Sprachen のうちでは Formativ といふ語を用ゐてゐるが、上記論文の脚註では、それよりも Formans の方がよいといつてゐる。)

に相當するものであるが、ブルーグマンは、このうちに、接頭辭や挿入辭をも含めてゐるけれども、わたくしは、形成素からそれらを除外する。近時の學者がMorphèmeといつてゐるものと、こゝに形成素といふものとは、必ずしも一致しない。何となれば、學者によつては、語の基本成分をもMorphèmeとして取扱つてゐる人があるからである。これらのことについては、別の機會において詳論することにしよう。

以上のやうな諸點は、主として四段動詞構成の考察に本づいての立論である。他の諸活用の動詞について、同様のことがいへるかどうかは、別に詳説を要するが、わたくしの考へてゐるところでは、加變・奈變・佐變の動詞や上一段の動詞などは、活用形態が異なるので、四段動詞などにおける語幹・語尾の說き方をこれに及ぼすことが出來ないといふ說のあるのは、與へられた活用圖をそのまゝ受け容れて動かすべからざるものとする考に支配されるからであつて、これを廣く語詞運用の上から見れば、下二段活用動詞の「う」(得)の如きものにあつても、同一の理法によつて說明され得るのである。しかし、これは、動詞原形論に關するところが多く、また、助動詞の性質がいかなるものであるかといふこととも交渉をもち、さらに、動詞活用の本質如何にも觸れて來る、大きな問題である。 今は、しばらくこれを他日に保留しておく。

第四章　語幹各說

語幹なるものは、前にも述べたやうに、語法上において、語尾をとる場合の基本形態であるから、これを構成上から見ると、その實體には、さまざまな樣相が見出される。今、その大略を示せば、次の如きものがある。

一、語幹が、動詞本來の基本成分であるもの。

「かく」(書)「かくす」(隱)「たぎつ」(湍)「おもふ」(思)「よむ」(讀)「しげる」(茂)の ka-, kaku-, tagi-, omo-, yo-, sige-, の如きは、すなはちそれである。

この種のものには、後章にも說くやうに、「かす」(貸)と「かる」(借)、「さる」(避)と「さく」(避)、「ほく」(祝)と「ほむ」(譽)、「なく」(鳴)と「なす」(鳴)と「なる」(鳴)の類の、同一語幹が、これと結びつく語尾的形成素の如何によつて、ちがつた動詞を形づくつてゆくやうなものがあり、また、「かる」(刈)と「きる」(切)と「こる」(樵)「くむ」(組)と「こむ」(籠)、「はる」(墾)と「ほる」

(掘)のやうに、語幹が、母音の變化によつて、意義を分化させてゆく類のものもある。

右のやうな、動詞本來の基本成分の考察によつて、われわれは、語根なるものの探求に導かれ得る。たとへば、ka-ru(刈), ki-ru(切), ko-ru(樵)を比較考察すると、その結果として、われわれは、加行の音節に何等かの共通の意義的中核の連繫があることを感ずる。そこで、語根基 Wurzelbasis として、KA をとりあげる。或は、母音をXとして KX を語根基とみてもよい。つまり、√KX に含まれてゐる意義内容が、KA—KI—KO の母音交替によつて分化してゐる事實の見出されることによつて、われわれは、そこに語根の認識を得るのである。かくの如くにして、語幹の考察は、語根の探求に進むのが當然であり、語幹の構成は、語根を中心として說かるべきではあるが、語根の把握は、きはめて細心の注意を拂ふのでなければ、危險を伴ふを免れず、かつ、語根なるものは、觀念的の存在に止まるものであるから、實際問題としては、上述のやうな基本成分に考察の基礎をおくのが、むしろその當を得る所以であらう。

二、語幹が、動詞本來の基本成分に、形成素を伴つてゐるもの。

「いかす」(生)・「うごかす」(動)・「まつはる」(纏)・「あざやぐ」(鮮)・「かしこまる」(畏)などの類は、本來の基本成分に、それぞれの形成素を伴つてゐるものである。　この例でいへば、

i-ka-su (生)、　ugo-ka-su (動)、　matu-ha-ru (纏)、

aza-ya-gu (鮮)　kasiko-ma-ru (畏)

のやうに、一線を引いた部分は、本來の基本成分、二線を引いた部分は、語幹の形成素である。

右のやうな形成素を伴ふものは、語幹における基本成分が、必ずしも嚴密に本來のもののたるに限らない。　動詞以外の成分であつても、それが、動詞本來の基本成分に準ずべきものである限り、形成素がそれに隨伴して、語幹を形成する場合がある。

語幹を形づくる形成素にいかなる種類のものがあるか、それらの詳細につ

いては、次章にこれを說く。

三、語幹が、他の品詞に屬するものを基本成分としてゐるもの。

動詞の語幹を形づくる基本成分は、必ずしも、動詞本來のものばかりではない。種々の、他の品詞に屬するものが、或は、單獨に、或は他の成分と複合して、しかも、或は形成素を伴はず、或は形成素を伴つて、語幹を形づくつてゐる。今、その主要なものを、次にあげてみる。

(1) 名詞または準名詞が、そのまゝ語幹となつてゐるもの。

「うな」(項)が「うなぐ」、「つな」(綱)が「つなぐ」、「かづら」(蘰)が「かづらく」、「あか」(赤)が「あかむ」、「あた」(敵)が「あたむ」、「はら」(腹)が「はらむ」、「かげ」(陰)が「かげる」、「いろ」(色)が「いろふ」、「やど」が「やどる」、「くも」(雲)が「くもる」となる類は、すなはちこれである。

右の例のうちで、その二三について說明を試みると、まづ「うなぐ」であるが、萬葉集卷十六の長歌に「伊呂雅世流菅笠小笠吾宇奈雅流珠乃七條」(三八七五)とある宇奈雅流はウナゲルと訓むべく、しかも、このウナゲルがウナグといふ四段活用の動詞より出たものであることは疑はれない。　しかして、ウナグのウナは「項」であると思はれるが、新撰字鏡巻二、頁部第十五に「項」の係に、「頸後也宇奈自」とあり、和名類聚抄巻二、形體部には、陸詞切韻云項頸後也とあつて、宇奈之と訓んであるのによれば、「項」はウナジである。　しかし、ウナといふ語が「項」の義に用ゐられてゐる例もある。　古事記上巻、八千矛神の御歌に、「夜麻登能、比登母登須々岐、宇那加夫斯那賀那加佐麻久」とあるウナカブシが「項傾し」であり、また同巻に、「宇那賀氣理弖」とあるウナも「項」の義で、ウナガケリは「項にかける」義であることを考へ、また、新撰字鏡巻一、肉部第四に「脰」を「項衡駕處也猶項也宇奈己不又宇奈志」とあるウナコブは項瘤の義であり、同巻十二、連字第百九十九に、「點頭」を宇奈豆久とある、ウナヅクは「項ツク」の義であることなどを思へば、ウナ(項)といふ語の存在性も認められ得るのであり、また、ウナグは、ウナ(項)が語尾「ぐ」をとつて活用したものであることも認められ得よう。　次に「はらむ」(孕)は、或は「はる」(脹)と同系列の語とも考へられるから、これには疑義があるが、こゝでは、しばらく通説にしたがつて、「腹」の動詞に活用したものと見ておく。「やどる」(宿)、「くもる」(曇)などについても疑義があるが、これも、しばらく、通説にしたがっておく。 なほ「かぐ」(嗅)の如きも「か」(香)から出たものであるとすれば、またこの類に屬する。 古事記中卷の若日下王の御歌に「葉廣の齋つ眞椿、そが葉の比呂理伊麻志」とあるひろり」も「ひろ」(廣)の活用したものであらう。 この類には「つよる」(强)の如きものもある。 「さうぞく」(裝束)から「さうぞく」といふ動詞が出來たのは、やゝ變態であるが、後世になっては、「もんだふ」(問答)から「もんだふ」といふ動詞が、「れうり」(料理)から「れうる」「やじ」(彌次)から「やじる」が出來たといふやうな例が、すこぶる多い。

(2) 基本成分としての名詞または準名詞に形成素のついたもの

「あきなふ」(商)・「あたなふ」(敵)・「いざなふ」(誘)・「うしなふ」(失)・「うべなふ」(肯)・「おとなふ」(訪)・「つみなふ」(罪)・「まじなふ」(呪)・「になふ」(荷)・「ゐやまふ」(敬)の類の語幹は、名詞または準名詞に形成素 -NA- もしくは -MA- のついたものなのである。

(3) 基本成分が、形容詞であるもの

「あやしむ」(怪)・「いそしむ」(勤)・「いつくしむ」(慈)・「うつくしむ」(愛)・「たのしむ」(樂)・「つつしむ」(謹)などが、それであるが、これらの場合の -SI- を、一種の形成素とみるのも、一つの考へ方である。 しかし、今しばらく通說にしたがつて、これらの -SI- を伴つたまゝのものを形容詞とみておく。

四、語幹が、複合性の基本成分をもつてゐるもの。

語幹において見出される基本成分は、單一性であるのを原則とする。 しかしながら、多くの動詞のうちには、語幹を分解して、語源的に基本成分の單一性をもとめようとすると、かへつてその語の本質を見失ふおそれのあるものがある。 一二の例をあげると、「いつく」(齋)といふ動詞の場合に、これは、イツが語幹であり、イが基本成分で、ツは形成素であるといつてよい。 何となれば、イは、同じやうに、イム(齋)の語幹で、かつその基本成分であり、またイマ・フ(齋)にあつては、イマが語幹、イが基本成分で、マは形成素であるといふやうに、分解が可能であり、分解による說明も合理的であり得るからである。 しかし、トドム(止)と、いふやうな動詞にあつては、これは、語源的には、トドは疊音であり、原語はトムである、ちやうどそれは、ツヅク(續)では、ツク(附)が原語で、ツヅはツの疊音であるのと同じであるといふやうな理由から、トの一つが基本成分であつて、ドは形成素であると見るのも、或は逆にドが基本成分で、トは接頭辭であると見るのも妥當でない。トドムでも、ツヅクでも、これらの場合には、トドもしくはツツが、動詞の基本成分の單位を形づくつてゐるからである。「つつく」(突)「とどく」(屆)「すすむ」(進)・「たたむ」(疊)なども同類である。

基本成分の複合性といふことは、「いさかふ」(諍)・「たばかる」(謀)・「まさぐる」(探)のやうな、接頭辭のついた場合についてもいひ得る。これらの接頭辭も、やはり、基本成分の一部を構成してゐるものと見るべきものである。

複合性のなほ著しきものに「きづく」(築)「はぶく」(羽振)「おもむく」(赴)「そむく」(背)・「とざす」(閉)の類がある。キヅクの例についていへば、キヅクは、キとツクとの二つに分解される語で ki-tu-ku である。キは、城などの義で、一區劃をなしてゐる地域をさす語であり、ツクは、古事記下卷、引田の赤猪子の歌にも「御諸に都久や玉垣都岐あまし」とあるツクであるが、キヅクをツクに復現して、ツを基本成分とみるのはよろしくない。キヅクを一語と見て、キヅを基本成分と考へるべきのである。ハブクの場合も同様である。ハブルはまたハブルともいふが、羽を振る義から出てゐるにしても、これはすでに一語を形成してゐるのであるから、ハブを單位とすべきのである。オモムク・ソムクも、もし、ムクが向の義であり、おもムクは面向、ソムクは脊向であるとすれば、當然、オモム・ソムが基本成分となる。（オモ・ソを基本成分とし、ムを形成素とする場合には、語源の解釋がちがつて來なければならない。）トザスの場合にあつても、語源的には「戶ヲサス」義であるにしても、トザスといふ語では、トザが基本成分の單位として取扱はれるべきのである。

さて次に、四段活用の動詞の語幹について、われわれの通觀したところでは、これらの語幹は、「あ」列・「お列」に終るものがもつとも多く、「う」列に終るものが、これに次ぎ、「い」列」「え」列に終るものは少數であるといふことが認められる。たゞし、語幹が單音節のものである場合だけについていへば、この數の開きが些少であるが、語幹が複音節のものである場合を計算に入れれば、その開きは大きくなる。たゞし、後者の場合に、その開きが大きいからといつて、これを以て、その大勢を判定する計算の基礎とすることは危險である。何となれば、それらのうちには、多くの複合的構成によるものを含んでゐるので、その頻出數は、同一のものが二重三重に計上されてゐることを免かれないからである。さらにまた、語幹の構成成分は、さういふ複合關係を別にしてみても、すこぶる複雜多岐に亙つてゐるから、輕々しくこれを論ずることは出來ない。これについては、もつと廣い範圍にわたつて、確實な統計をとつてみなければならぬのであるが、こゝに、參考の資となすべきものに、有坂秀世氏の研究がある。それは、氏の「國語にあらはれる一種の母音交替について」（「音聲の研究」第四輯所收）といふ論文のうちに見えた統計である。氏は、奈良朝の文獻のうちにおける假名書のものによつてオフ（負）がオホス、キク（聞）がキカスとなるやうな、動詞にスのつく場合、カシコム（畏）がカシコマル、クク（潛）がククルとなるやうな、動詞にルのつく場合などにおいて、そのス・ルなどの直前に立つ音の種類を檢出してゐられるのであるが、今、前記二者の計數を見ると、次のやうになつてゐる。

動詞にスのつく場合スの直前にあらはれる音

	ア列	イ列	ウ列	オ列	計
A. 四段活用	10	—	—	2	12
B. 下二段活用	11	1	—	—	12
C. 四段下二段活用	3	—	—	1	4
D. 上二段活用	—	—	2	5	7
E. 上一段活用	—	2	—	—	2

動詞にルのつく場合ルの直前にあらはれる音

	ア列	イ列	ウ列	オ列	計
A. 四段活用	5	1	1	2	9
B. 下二段活用	9	1	—	—	10

C. 四段下二段活用	6	—	—	2	8
D. 上二段活用	—	—	2	1	3
E. 下二段上二段(?)活用	—	—	—	1	1
F. 活用未詳	1	—	—	—	1

第五章　語尾形成素各說

四段活用動詞の語尾として認められる形成素には、左の各種がある。

-KU　-GU　-SU　-TU　-HU　-BU　-MU　-RU

これらの語尾形成素は、それぞれ、次のやうな音韻變化による四種の形態をそなへてゐる。

-KU

-KA　-KI　-KU　-KE

-GU

-GA　-GI　-GU　-GE

-SU

-SA　-SI　-SU　-SE

-TU

	-TA	-TI	-TU	-TE
-HU	-HA	-HI	-HU	-HE
-BU	-BA	-BI	-BU	-BE
-MU	-MA	-MI	-MU	-ME
-RU	-RA	-RI	-RU	-RE

右の四種の音韻の質的變化の形態が、いはゆる活用形式の基礎となつてゐるのであるが、この種の音韻變化は、こゝにいふ語尾形成素の上にのみあらはれる現象ではない。前章に示した語幹の形態の上にも、われわれは、同様の現象を認め得るのである。すなはち、語幹が語尾と結びついて動詞を形づくる場合において、語幹は、單音節のものたると複音節のものたるとに論なく「あ」列

よりつゞくもの「い」列よりつゞくもの「う」列よりするもの「え」列よりするもの「お」列よりのものといふやうに、それぞれの語が、特殊の接續上の約束をもつて居り、また「あ」列のものがもつとも多く、「い」列」のものがはなはだ少いとかいふやうな、頻數的差異も存するけれども、接續關係と音韻變化との間に、一種の脈絡のあることは、一樣に認められるのである。 アマグモ（雨雲）・タカムラ（竹群）・コダチ（木立）のやうな、名詞と名詞との結びつきの上においても、アメがアマ、タケがタカ、キがコとなるやうな音韻變化がある。 語尾形成素の場合にあつて、たとへば、-KU が -KA, -KI, -KU, -KE の形態をそなへてゐるのも、これが「行かむ」「行きたり」「行く」「行く人」「行けば」「行け」といふやうに用ゐられることから考へれば、その因つて來るところは、おのづから明らかである。

インド・ゼルマン語學者は、インド・ゼルマン語の上において、本來、語源論的・形態論的に同種であると認められる母音成分が、それぞれの語形のうちに、量的・質的或はまた音調的に相異なつてあらはれてゐる、さういふ音韻變化の、原語時代に由來するものと考へられるものを、母音交替 Ablaut と名づけ、その量的のもの、すなはち長母音と短母音との交替の如きものをAbstufung,質的のもの、すなはちエとオとの交替の如きものをAbtönungとして區別してゐる。 上記のやうな、わが國語の上にあらはれてゐる音韻變化の現象もまた、インド・ゼルマン語における母音交替と趣を同じうしてゐる點があることは、すでに學者の注意するところとなつて居り、この種のあるものについては、有坂秀世氏の研究（「國語にあらはれる一種の母音交替について」音聲の研究第四輯所收）も發表されてゐる。 按ふに、動詞の語尾變化、特に四段活用動詞の語尾形成素の變化なるものは、また、一種の母音交替の現象に他ならないのであらう。 たゞし、わが國語のやうに、音節の性質が開音節であり、したがつて、語尾形成素が音節を單位としてゐる國語にあつては、その母音交替は、音節關係においてあらはれて來ることを注意しなければならぬ。 單音的に、きりはなされた母音の變化としてはあらはれて來ないのである。

四段活用動詞の語尾形成素が、もといかなるものであつたか、假に -KU, -GU, -SU, -TU, -HU, -BU, -MU, -RU の如きものを、學者のいはゆる形成基 Formansbasis

とすれば、これらのそれぞれの形成基は、本來獨立の語詞であつたか、それぞれの母音交替はどうして生じたか等の問題に對する解答は、今日においては、なほ白紙のまゝである。 われわれはたゞ、考察の結果を整理して、事實をありのまゝに報告し得るに止まる。 しかしながら、これらの形成基が、內容的にどういふ性質をもつてゐるかについては、幾分か解決の鍵となるべきものが存してゐないではない。 それは、これらの語尾形成素の或ものは、二者または三者の間に、それぞれ對比的の關係を成立させてゐるからである。 すなはち、同一形の語幹、もしくは同一內容を有する語幹が、甲・乙もしくは甲・乙・丙の語尾形成素をとることによつて、一定の分化形式を發達させ、對比的意義を有つ、相異なる語詞を展開させてゆく例が少くない。 もちろん、これはすべての動詞の場合についていひ得ることではない。 しかしながら、或一定の範圍內においては、普遍的であり、法則的である。 われわれは、さういふ事實上の考察に本づいて、歸納的に、それぞれの語尾形成素の性質を規定することが出來るのである。

以下それらの對比關係の主要なものについて、解說を試みよう。

第一、-KUと-RUとの對比

sa-ku (離・避)　　to-ku (解)　　hu-ku (振・揮)
sa-ru (去・避)　　to-ru (取)　　hu-ru (振・揮)

右の例のうちで、sa-ku には、咲・裂・放・離・避等の義があるが、いづれも、或ものが他のものからわかれる意味である。「咲」の義も、草木の花のあらはれ出ることを意味するからであつて、日本書紀神代巻下の一書に「其於秀起浪穂之上起八尋殿」とある「秀起」を訓じて「秀起此云左岐陁豆屢」とあるサキと同源であらう。古事記上巻の、猨田毘古大神の海潮に沈み溺れた時の記事に「其阿和佐久時名謂阿和佐久御魂」とある阿和佐久も「沫さく」であつて、沫の浮び出ることを意味する。　これは、この前文に「故其沈居底之時名謂底度久御魂」とあつて、沫の發生した時が「都夫多都時」であるから、阿和佐久は、その沫の水面に浮び出た時のことをいつてゐるのである。　萬葉集巻二十に「今替はる新防人が船出する海原の上に浪な佐伎そね」(四三三五)とある佐伎も、浪の水面に起ることを意味する。　春日政治博士の「西大寺本金光明最勝王經の白點についての研究」によれば、同點では、「驚波水逆流」とある本文を驚波に一二の反讀符を施し、驚字にサキと附訓して、波驚(サ)キ水逆マニ流レと訓ませてあるさうである。　かういふ「さく」の義と「分離」の義とは、おのづから相通ずるものがある。「離」・「避」の義の「さく」が古く四段に活用し、自動詞として用ゐられた例は多いが、他動詞としても用ゐられてゐたことは、萬葉集卷三「ゆくさには二人わが見しこの崎をひとり過ぐれば情悲しも」(四五〇)といふ歌の第五句が、一本に見毛左可愛伎濃とあるなどによつても知られるが、この「さく」から、下二段活用の「さく」が出來、また、同じく四段ではあるが、良行に活用する「さかる」が出來てゐる。　sa-ku と sa-ka-ru との關係は、對比的のもののやうに見えるが、さうではない。　sa-ka-ru は、「そなはる」(具・備)が「そなふ」から「そまる」(染)が「そむ」から出來たのと同じ過程をとつてゐるので、sa-ku が、その本語となつてゐるのである。　下二段活用の sa-ku もまた、四段活用の「うかぶ」(浮)から下二段活用の「うかぶ」(浮)四段活用の「うく」(浮)から下二段活用の「うく」(浮)が出來てゐるやうに、四段活用の sa-ku をその本語としてゐるのである、　かくして、四段活用のsa-kuの直接の對比語といふべきものはsa-ruなのである。この「さる」といふ語には「離」・「避」・「去」などの義がある　複合語に「かたさる」といふ語もあつて、萬葉集巻十八(四〇一一)に奴婆玉乃夜床加多左里などとあるが、この加多左里も「片避」の義である。　類聚名義抄には「謝」をカタサルと訓じ、またサルとも訓じてゐる。

to-kuとto-ru, hu-kuとhu-ruとの關係も、右に準じて知ることが出來る。「とく」には「解」・「釋」などの義があるが、これらは、いづれも、一の物を他の或物から解放することを意味する。「縄をとく」・「髪をとく」・「いましめをとく」の「とく」の意義をみても、すべてそれは「解放」の義に他ならない。　この「とく」を本語としてゐる、下二段活用の動詞「とく」も「氷とく」の場合の如き、やはり、氷の凍結状態からの解放をいひあらはしてゐる。　この語の對比語とみるべき「とる」には、取・捕などの義があるが、「筆をとる」・「鳥をとる」の「とる」について見てもわかるやうに「とる」にも、やはり、筆なり、鳥なりを、或状態・或位置から解放する意味が存してゐる。　たゞ「とくの場合には、解放する動作そのものに表現の中心がおかれてゐるが「とる」の場合には、解放する動作よりも、解放してこれを保有するといふことに、表現の中心がおかれてゐるといふ點で出入があるに過ぎないのである。「ふく」と「ふる」とは、共に「振」「揮」などの義に用ゐられるが、「ふく」の方は、はやく廢語となつたやうである。しかし、奈良朝の文獻を見ると、古事記上卷に「拔所御佩之十拳劍而於後手布伎都都逃來」とあり、これと同じ事を、日本書紀神代卷上には「拔劍背揮」と記して、「背揮此云志理幣提爾布倶」と注してあるし、また萬葉集などに山吹を山振と記してゐるなどの例もある。この場合の「ふく」と「ふる」との對比についていてみるに、「ふく」の方には、動作を動作そのものについて、これを決定的にいひあらはし、「ふる」の方には、動作を緩徐的にいひあらはすといふやうな相異が感じられるけれども、その對比は、明確ではない。この明確性を缺いてゐるといふことが、この二語の消長にも關係があるやうに思はれる。

第二、 -RU と -SU との對比

ka-ru (借)	ta-ru (足)	ke-ru (着)
ka-su (貸)	ta-su (足)	ke-su (着)
aka-ru (明)	ama-ru (餘)	kaza-ru (飾)
aka-su (明)	ama-su (餘)	kaza-su (翳・挿頭)
kuta-ru (腐)	kuda-ru (下・降)	hata-ru (責)
kuta-su (腐)	kuda-su (下・降)	hata-su (果)
hita-ru (浸)	maha-ru (廻)	mida-ru (亂)
hita-su (浸)	maha-su (廻)	mida-su (亂)
wata-ru (渡)	utu-ru (移)	kahe-ru (返)
wata-su (渡)	utu-su (移)	kahe-su (返)
oko-ru (起)	sato-ru (覺)	toho-ru (通)
oko-su (起)	sato-su (覺)	toho-su (通)
tomo-ru (灯)	nigo-ru (濁)	noko-ru (殘)
tomo-su (灯)	nigo-su (濁)	noko-su (殘)
yado-ru (宿)		
yado-su (宿)		

右の例における如き、-RU と -SU との對比は、その類が多いのであるが、右に擧げた如き場合にあつては、-RU のついたものは自動詞、-SU のついたものは他動詞であると認められるから、この對比は、自他の對比であるといふことが、大體においていへるのであり、しかも、これは、四段活用の、動詞相互間には限らないのである。すなはち、下二段の動詞との間にあつても、語幹を同じくする場合において、次のやうな對比が認められる。

kega-ru (穢, 下二)
kega-su (穢, 四)

koga-ru (焦, 下二)
koga-su (焦, 四)

kudu-ru (崩, 下二)
kudu-su (崩, 四)

tahu-ru (倒, 下二)
tahu-su (倒, 四)

tubu-ru (潰, 下二)
tubu-su (潰, 四)

yatu-ru (羸, 下二)
yatu-su (羸, 四)

右のやうな對比は、すべて、同一語幹が、語尾 -RU と -SU とによつて、自他を分化させて來てゐる例であるが、これらの外に、また、或語を本語として形づくられた語幹に -RU または -SU がついて、それが、それぐの本語に對して、自他の對比關係に立つものがある。今その一斑を示せば、次の如くである。

一、-RUの場合

A、本語が四段活用の自他動詞であって、派生語が四段活用の自動詞であるもの

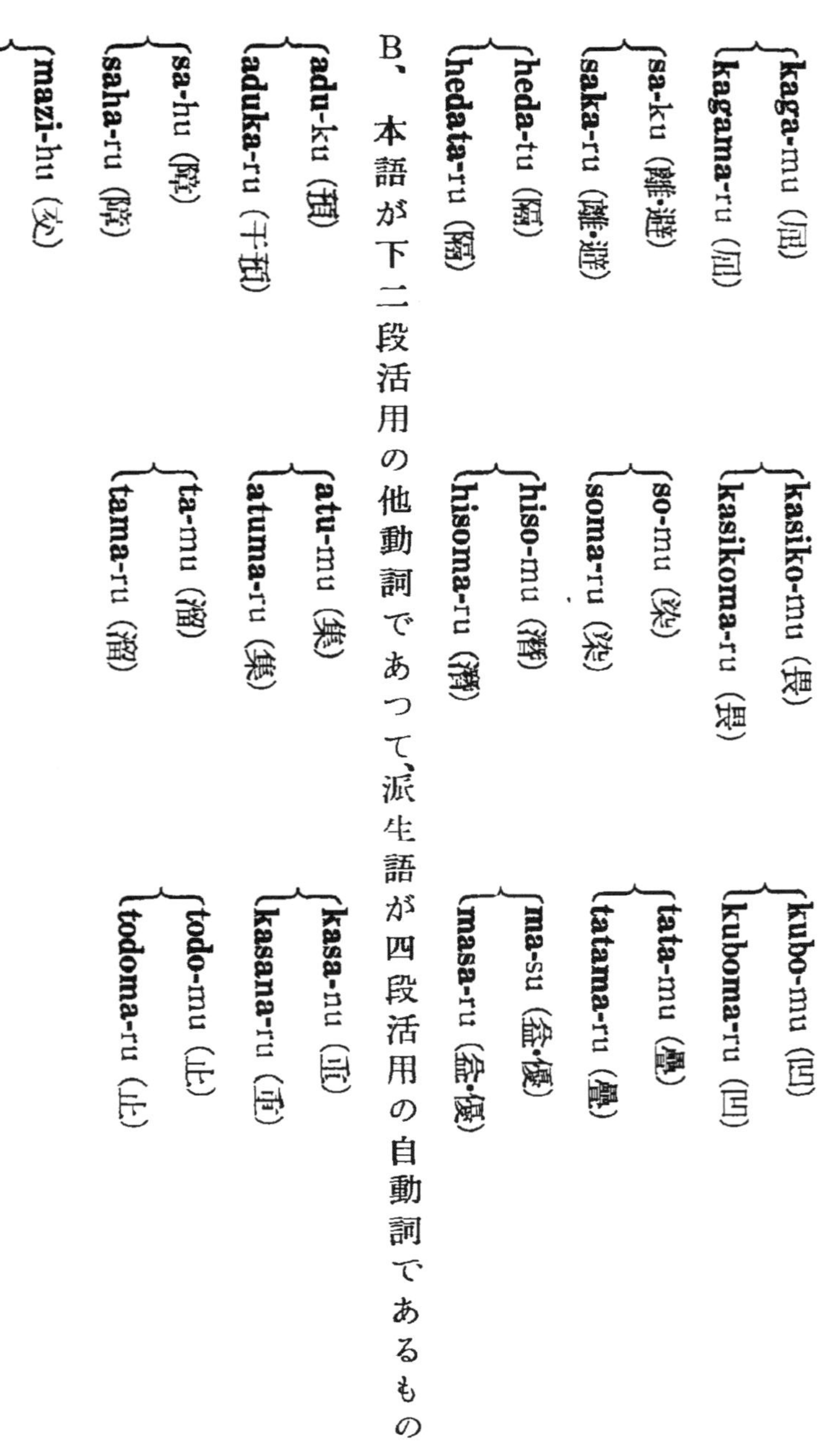

{**kaga**-mu (屈) / **kagama**-ru (屈)}　{**kasiko**-mu (畏) / **kasikoma**-ru (畏)}　{**kubo**-mu (凹) / **kuboma**-ru (凹)}

{**sa**-ku (離・避) / **saka**-ru (離・避)}　{**so**-mu (染) / **soma**-ru (染)}　{**tata**-mu (疊) / **tatama**-ru (疊)}

{**heda**-tu (隔) / **hedata**-ru (隔)}　{**hiso**-mu (潜) / **hisoma**-ru (潜)}　{**ma**-su (益・優) / **masa**-ru (益・優)}

B、本語が下二段活用の他動詞であって、派生語が四段活用の自動詞であるもの

{**adu**-ku (預) / **aduka**-ru (干預)}　{**atu**-mu (集) / **atuma**-ru (集)}　{**kasa**-nu (重) / **kasana**-ru (重)}

{**sa**-hu (障) / **saha**-ru (障)}　{**ta**-mu (溜) / **tama**-ru (溜)}　{**todo**-mu (止) / **todoma**-ru (止)}

{**mazi**-hu (交) / **maziha**-ru (交)}

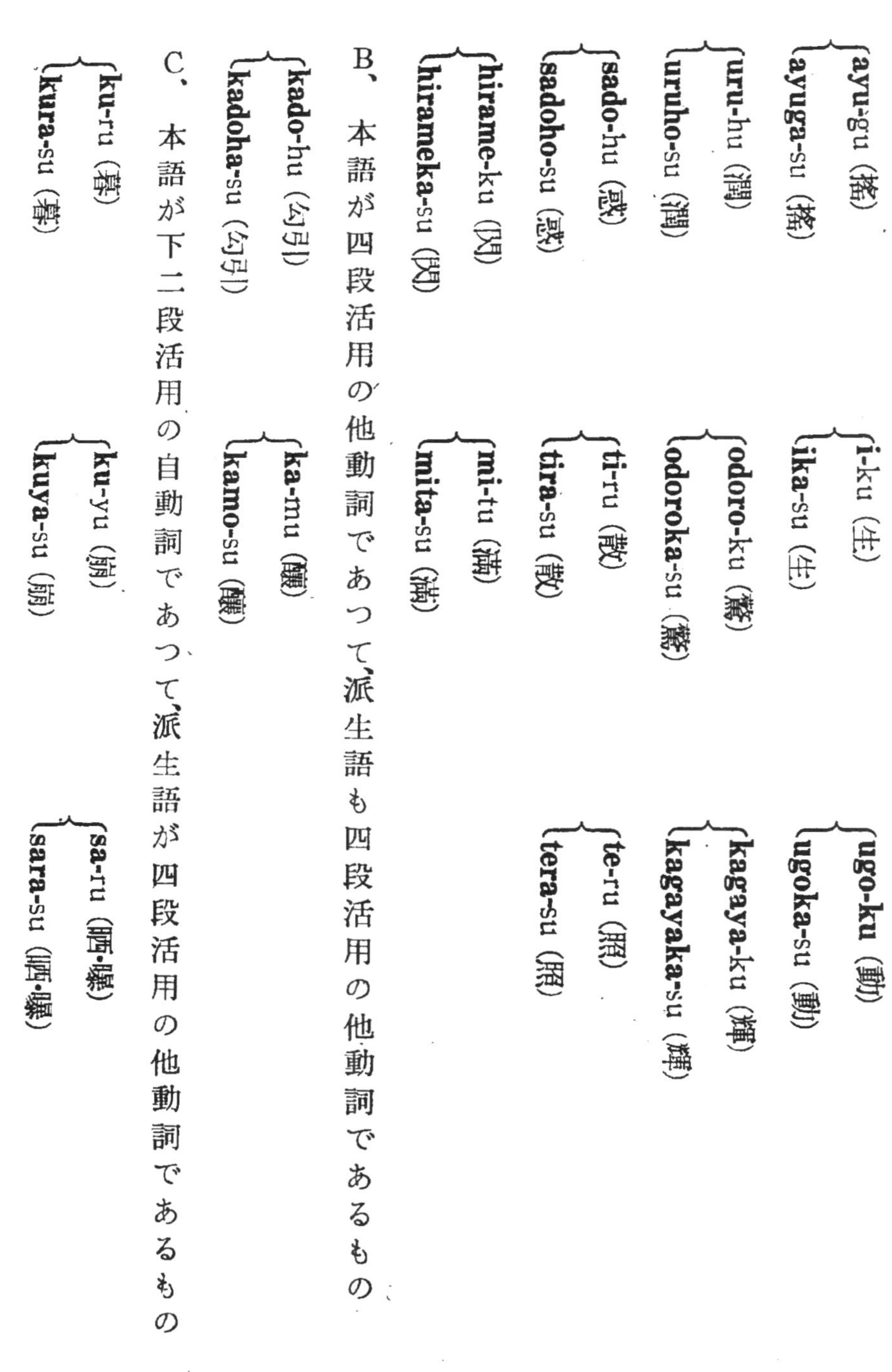

二、-SUの場合

A、本語が四段活用の自動詞であつて、派生語が四段活用の他動詞であるもの

ayu-gu (搖) / **ayuga**-su (搖)　　**i**-ku (生) / **ika**-su (生)　　**ugo-ku** (動) / **ugoka**-su (動)

uru-hu (潤) / **uruho**-su (潤)　　**odoro**-ku (驚) / **odoroka**-su (驚)　　**kagaya**-ku (輝) / **kagayaka**-su (輝)

sado-hu (惑) / **sadoho**-su (惑)　　**ti**-ru (散) / **tira**-su (散)　　**te**-ru (照) / **tera**-su (照)

hirame-ku (閃) / **hirameka**-su (閃)　　**mi**-tu (満) / **mita**-su (満)

B、本語が四段活用の他動詞であつて、派生語も四段活用の他動詞であるもの

kado-hu (勾引) / **kadoha**-su (勾引)　　**ka**-mu (醸) / **kamo**-su (醸)

C、本語が下二段活用の自動詞であつて、派生語が四段活用の他動詞であるもの

ku-ru (暮) / **kura**-su (暮)　　**ku**-yu (崩) / **kuya**-su (崩)　　**sa**-ru (晒・曝) / **sara**-su (晒・曝)

na-ru (馴)
nara-su (馴)

右に述べたところだけでは、-RU, -SU の對比は、いはゆる自他の對比に過ぎないやうである。しかしながら、これは、たゞその一面たるに止まる。四段活用動詞の語尾すなはち語尾形成素の -RU, -SU は、いはゆる助動詞の -RU, -RARU, -SU, -SASU と關係をもつてゐる。これらは、けだし同系列のものなのである。-RU, -SU が、

-RA	-RI	-RU	-RE
-SA	-SI	-SU	-SE

といふ形態をもつに對して、RU, RARU, SU, SASU が、

-RE	-RU-	-RU (-RU)	-RU (-RE)
-RA-RE	-RA-RU	-RA-RU (-RU)	-RA-RU (-RE)
-SE	-SU	-SU (-RU)	-SU (-RE)
-SA-SE	-SA-SU	-SA-SU (-RU)	-SA-SU (-RE)

といふ形態をもつてゐることは、一見したところでは、格段の相異のやうに見えるけれども、それは、單なる形式上の相異に過ぎない。 動詞の例をもつてすれば「みだる」(亂)といふ語は、四段と下二段と兩樣に活用するが、これは、次のやうな形式になる。

mida-RA　mida-RI　mida-RU　mida-RE

mida-RE　mida-RU　mida-RU (-RU)　mida-RU (-RE)

「よす」(寄)といふ語も、四段と下二段と兩樣に活用するが、これも、次のやうな形式になる。

yo-SA　yo-SI　yo-SU　yo-SE

yo-SE　yo-SU　yo-SU (-RU)　yo-SU (-RE)

右の類例を以て推せば、語尾形成素の -RU, -SU と助動詞の -RU, -RARU, -SU, -SASU とが、その本源を一にするものであることが知られよう。 なほ、-RARU, -SASU は -RU, -SU の複合形たるに過ぎないのである。

右のやうな「る」の語源をアリ(有)にもとめ「す」の語源をス(爲)にもとめようとす

る說は、かなり有力である。或はさうであらう。語源說の當否は、しばらく措くが、とにかく「る」には存在的の意味があり「す」には行使的の意味があるといへる。存在的であるから靜的であり、行使的であるから動的である。靜的であるから、自動的でもあり、受身的でもあり、動的であるから、他動的でもあり、使役的でもある。助動詞にあつては「る」「らる」は受身の助動詞「す」「さす」は、使役の助動詞として分類されてゐるが、根本においては、これらの助動詞と上記の語尾形成素とには、共通の性質が存するのである。ことに、それらの共通點のよくあらはれてゐるのは、「きかす」(聞)「しらす」(知)「けす」(着)「めす」(見)などの四段活用の動詞が敬語として用ゐられるのと、助動詞「す」「さす」もまた、敬語の助動詞として用ゐられることである。「きかす」(聞)「しらす」(知)は、語幹に形成素 -SU のついた動詞であり、「かかす」(書)「あらす」(在)は、動詞の未然形に助動詞「す」のついた敬語であるが、兩者の「す」は、その變化を異にしてはゐるが、根本において共通の性質をもつてゐればこそ、兩者共に敬意をあらはす表現たり得るのである。

第三、-KU, -RU, -SU の對比

na-ku (鳴)	modo-ku (戻)	kabu-ku (傾)
na-ru (鳴)	modo-ru (戻)	kabu-ru (傾)
na-su (鳴)	modo-su (戻)	kabu-su (傾)

この類のものは、確實性をもつ例は稀少ではあるが、-KU と -RU, と -RU と -SU の關係を考へれば、三者の對比の可能であることはいふまでもない。「なく」「なる」「なす」について、「なく」と「なる」とは例を擧げるにも及ぶまいが「なす」の例は、古事記上卷の八千矛神の歌に、遠登賣能那須夜伊多斗遠とある那須、萬葉集卷五(八〇四)に、遠等咩良何佐那周伊多斗乎とある佐那周の那周については、異說もあるが、これを「鳴らす」義と解すれば、こゝの「なす」の例となる。 しかも、また「鳴」に「なす」の訓のあることは、古事記上卷の「畫鳴」の注に、「訓鳴云那志」と見え、萬葉集卷十一(二四〇五)に、鳴字をナス(如)に假りて、垣廬(カキホ)鳴(ナス)人雖云と書き、また同卷(二六四一)に、ウチナスと訓むべき場合に、垣守之打鳴(ウチナス)鼓と書いてゐるのなどによつても知られるが、さらに日本書紀卷十七に「隱國の泊瀨の川ゆ、流れ來る竹の、いくみ竹よ

竹、本邊をば琴につくり、末邊をば笛につくり、府企(フキ)儺須(ナス)三諸が上に」とある府企(フキ)儺須(ナス)が「吹き鳴らす」義であることは明白である。 春日博士の研究にしたがへば、西大寺本金光明最勝王經の白點には、「鼓(ナ)サザルニ」といふ訓があるとのことである。 平安朝初期にはなほかういふ古語古形が遺存してゐたものと見える。「もどく」・「もどる」・「もどす」が一系列をなすものであることも、特に説明を要しない。

古い文獻には、まだその例を見出さないが、船乗りなどの言葉に「かぶる」といふ語がある。 この「かぶる」は、船の傾くことを意味する。 もし、この語が、かなり古くから用ゐられてゐたものであるとすれば、 kabu-ku (傾), kabu-ru (傾), kabu-su (傾) も、この類のものとみることが出來る。 大言海には「かぶく」の例として、行宗集の「雨降れば門田の稲ぞしどろなる心のまゝにかぶきわたりて」をあげて、傾く義とし、歌舞伎者の「かぶき」も、傾く義の「かぶく」の轉義で、圖にはづれる意より移つて、テンガウスル・フザケル・イタヅラヲスル・惡戯(ワルサ)ヲスル義となつたものと見てゐる。 しかして「かぶす」の例は、夙く記紀に見えてゐる。 古事記上卷八千矛神の歌に、夜麻登能比登母登須々岐宇那加夫斯那賀那加佐麻久とある宇那加夫斯は「項傾し」である。また、日本書紀神代下の一書に不須也(イナ)頗傾凶目(カブシコメ)杵之國(キクニ)也とある下文の注に頗傾也此云歌矛志とある。

第四、-KU, -GU と MU との對比

一、-KU と -MU との場合

aru-ku (歩)
ayu-mu (歩)

sidu-ku (沈)
sidu-mu (沈)

nozo-ku (臨)
nozo-mu (臨)

ho-ku (祝)
ho-mu (譽)

二、-GU と -MU との場合

ne-gu (祈)
no-mu (祈)

「あるく」(歩)の aru- と「あゆむ」(歩)の ayu- とは、同類の語幹である。yu を ru の音韻變化と見るのは少しく無理であつて「いはるゝ」(所謂)が「いはゆる」となるが如

き例を以て、これを律しようとするのは、妥當性を缺くと思はれるし、古事記下巻の輕太子の歌に「比登波加由登母」とある波加由を「人計ゆとも」と解するか、「人は離ゆとも」と解するか、いづれにしても動詞の語尾の「る」が「ゆ」と轉じたものと見られるが、なほそれを以てこゝの旁證とするのには異論もあらう。　しかし、この二語を同類のものと考へ、語尾の「く」と「む」が、對比的の關係を示してゐると見ることは、差支がなからうと思ふ。「あるく」の例は、萬葉集巻三に「河風の寒き長谷を歎きつゝ公が阿流久に似る人も逢へや」(四二五)、同巻五に「赤駒にしづ鞍うちおきはひ乘りて遊び阿留伎し世の中や常にありける」(八〇四)、同巻十四に「足柄小舟安流吉おほみ」(三三六七)、同巻十八に「里毎にてらさひ安流氣ど」(四一三〇)などの例があり、新撰字鏡巻二、足部第二十五には「蹊」字の下に遐雞反乎經也經行也往來也阿留久と見えてゐる。「あるく」よりも「ありく」の方が古い形であるやうに考へられがちであるけれども「あるく」の方が古いやうである。　古事記傳巻十(二十四丁)にも、その説が見えてゐる。　たゞし、同書巻二十八(三十三・四丁)に歩(あゆむ)を解して、「足讀の意の言ならむか。　物の數を讀さまと似たればなり。」とあるのはいかゞと思はれる。やはり「あるく」・「あゆむ」は同系の語であらう。「あゆむ」の例は、萬葉集巻十四に「安由賣我が駒」(三四四一)、新撰字鏡巻五、馬部第四十五に駙、補倶反疾道行馬、阿由彌万須馬などがある。

「しづく」(沈)は、續日本紀の童謡に「櫻井に白玉之豆久やよき玉之豆久や」とありまた、萬葉集には、巻十九に「藤浪の影なす海の底清み之都久石をも珠とぞわが見る」(四一九九)とある「しづく」で、これに「沈」の義のあることは、萬葉集巻七にある寄玉の歌十一首のうちで、(一三一九)の歌には「しづく」といふ語が「大海の水底照らし石著(しづく)玉」のやうに、石著といふ義訓の假字で書かれてゐるが、これが「沈」字で書かれてゐるのが三首まである。すなはち(一三一七)には海底沈白玉(わたのそこしづくしらたま)(一三一八)には底清沈有玉(そこきよみしづけるたま)乎(を)(一三二〇)には水底爾沈白玉(みなそこにしづくしらたま)と見えてゐる。わたくしは、舊著「古代國語の研究」(一九九頁)において、この語と「しづむ」(沈)とを比較して、「しづく」には、水に浸つてゐるものの見えすいてゐるといふ意が明らかにあらはれてゐる、しかし根本の語義を考へれば「しづく」の場合では、見えすいてゐるといふ意が、言葉そのものについてゐるのではない「しづく」と「しづむ」とは、共に同一原義を有するものであるがしづく」の方には「しづむ」よりは一そうその事實の確かであることを示す力がある、したがつて、確かに沈んでゐる、その沈んでゐるのが見えてゐるといふやうな意義が分化して來るのであるといふことを說いておいたが、大體、今においても、わたくしは、この主張を支持する。　これは「のぞく」(臨)と「のぞむ」(臨)との關係についてもいひ得ることである。「のぞく」は、後世では、物の隙間から覗くといふやうな場合に、專ら用ゐられるやうになつて、その用法が局限されてゐるが、古くは「のぞむ」と同義のもので、互に照應してゐる言葉であつた。　源氏物語夕顏の卷に「おかしきひたひつきのすきかげあまたみえてのぞく」とある類の「のぞく」は、後のつかひ方と同じであるが、宇津保物語吹上卷に「五葉百木ばかりあるが、川にのぞき立てるに」、源氏物語帚木卷に「人々渡殿よりいでたる泉にのぞきゐて酒飮む」椎本卷には「水にのぞきたる廊に」などと用ゐられてゐる「のぞく」は、後世の「のぞむ」と、その義が近いやうに思はれる。　また、新撰字鏡、天治本卷四、門部四十五には「闚」を宇加々不又乃曾久と注して居り、同じく享和本の門部四十一には「闚」を宇加々不又乃曾死と注してゐるのを見ると、「窺」の意味には「の

ぞく」も「のぞむ」も通じて用ゐられるやうである。　義門の活語雑話二編には、
ひと年のぞくとのぞむとの異同を問へる人に、のぞくは大かた臨、のぞむは多は望字に當ると思ふといらへし事有き。　後に考れば、さては協はぬもあれど「水にのぞきたる何」とやうにはいへれど、ぞを「のぞみたる」と樣に云るは未だ見ず、山にはのぞむとは曰めど、のぞくとは云難きなど、先は猶分れたりとぞ覺しき。　躬恆集に「秋の山にのぞむ」とありてけふなれば小倉山の紅葉も底さへ照て見え渡るらん　中務集　池にのぞきたる松に藤の花かゝれり　源氏帚木卷わた殿より出たる泉にのぞきゐて酒のむなど　但し臨字は、いつも唯のぞく、望は必のぞむと、強チにも定めにくきは、字鏡に類又闚にノソムとあるは、今ノ世にノソクといへるに當るなどにて、又惟ふへし　須磨卷に、是より大なる趾にのそまぬさきに世を遁れなんと云々と云る如きは、必望字には當らじ。　又臨時などの臨はノソムと乞訓べきなどを思ふに、臨はのそくのそむ何れにも當り、望はのそむにのみと云へきにや　上に引る池にのそきたる又椎本卷に水に「のそきたる廊」とあるを出して或書にのそむを古くはのそくともいひし也といへるは宜からじ

といふ意見が見えてゐるが「のぞむ」を古く「のぞく」といつたといふ說の誤であることは、この言の通りであるが「のぞむ」と「のぞく」との關係について說いてゐるところは、なほ徹底を缺いてゐるかに見える。　この二語の用法は、語尾のく」・「む」のそれぞれの表現上の特質によつて決せられるのである。　すなはち語尾「く」は、表現上に確實性・急迫性をもつて居り、語尾「む」は、表現上に動搖性・緩徐性をもつてゐるのに本づくのである。(拙著「古代國語の研究」二〇七頁參照) 水については「のぞく」といひ、山については「のぞむ」といふのも、上記の例などの、水の場合には、多くは、その客體たる水が手近いので、これに對する動作主の動作が、確實性をもつ「のぞく」ていひあらはされ、山の場合には、多くは、その客體たる山が、動作者より遠隔の地點にあるので、これに對する動作主の動作も、動搖性をもつ「のぞむ」でいひあらはされるものと解せられる。　なほ、活語雜話には、水については「のぞむ」を用ゐた例が無いやうにいつてあるが、「水」についてこそ、その用例が見出し難いが、これに類する「海」については、和泉式部集に「海に臨みたる松に、蔦の紅葉の掛かりたるを」といふ詞書の例もあつて、めづらしくないやうである。

次の例のho-kuとho-muとについては、まづ「ほく」(祝)といふ語が、ho-guかho-kuかといふ問題から筆を進めなければならぬが、「ほく」(祝)といふ語は、從來普通に「ほぐ」と考へられてゐるが、おそらくこれは、本來「ほく」であつたのであらう。今、この語の假字書の例を見るに、古事記中卷、神功皇后の御歌に、加牟菩岐、本岐玖流本斯、登余本岐、本岐母登本斯、日本書紀卷九、神功皇后の御歌に、等豫保枳、保枳茂苔倍之、訶武保枳、保枳玖流保之の例があり、萬葉集卷十八に「足引の山の木ぬれの保與とりてかざしつらくは千とせ保久とぞ」(四一三六)同卷十九に「もののふの八十伴緒の島山にあかる橘うずにさし紐解きさけて千年保伎保吉とよもし」(四二六六)「青柳のほつ枝よぢとりかづらくは君がやどにし千年保久とぞ」(四二八九)などがあり、また、延喜祝詞式には、大殿祭の祝詞の注に、「言壽、古語云許止保企、言壽詞」とあるが、これらのキの假名はいづれも清音に訓まれるべきものである。　古事記の用字の上で、岐は、記傳には清濁通用となつてゐるが、これにはなほ疑問の餘地がある。　しかし、假にこれを清濁通用とみても、古事記中卷の歌の例にあつては、日本書紀に枳字が用ひられて居り、枳字は、概して清音の假名であることを考へれば、前者の場合も、やはり清音に用ゐられたものといふことが出來るのである。　日本書紀にも、神代卷に和布を尼枳底、齊明天皇卷に熱田津此云儞枳陀豆と書いてある例もあるが、これにはなほ考究の餘地があつて、これだけの例を以て、枳が、日本書紀において清濁通用であるとはいひ得ない。

　さて、右の「ほく」(祝)・「ほむ」(譽)もまた、その根本義からいへば同語であるが、一方の「ほく」は祝賀・祝福の意をあらはし、一方の「ほむ」は讚嘆・賞美の意味をあらはすものとなつて來てゐる。　しかし、前者の本義は、單なる祝賀・祝福ではない。　或種の言語・動作・事物によつて、祝賀の意を表し、祝福の意を示す意をもつてゐるのである。　延喜式の大殿祭の詞に「言壽宣志久」といひ、「天津奇護言乎以底鎮白久」といつてあるのは、言語によつて祝福することをあらはしてゐる。　また日本書紀顯宗天皇卷の室壽の詞は、新室に關聯した言語を以て、主客の慶幸を祝福したものであり、古事記の、應神天皇と氣比大神との御易名の條に「言禱(コトホギテ)」とあるのも、その「言禱」の語は記載されてゐないが、賀茂眞淵の錯簡說にしたがふよりは、本居宣長の見解によつて、やはり或言葉を以て祝福されたものと見るべきのであらう。　上記の萬葉集の「千年保久」の例は、山の木末の保與を取つてこれをかざすことと、青柳の上枝をとつてかつらにすることで祝福するのであり、同集巻六に「焼太刀のかど打放しますらをの禱(ホク)豊御酒にわれ醉ひにけり」(九八九)とあるのも、焼太刀の稜打放すことによつて祝福するのである。　かういふ特殊の所依を伴はない、單に、讃嘆・賞美の意味を言ひあらはすに過ぎない場合には、ほく」に對して「ほむ」といふ語が用ゐられるのである。

　上記の -KU, -MU の對比と同列に位するものに、-GU, -MU の對比があるが、-KU と -GU とは、大體において、本來同源のものであり、後者は前者の無聲音が有聲音化したものと考へられるのであるが、必ずしも、すべてがさうであるとはいへない。　なほ、假に奈良朝時代のものを標準としてみても、たとへば「まぐ(求)の如きも、日本書紀神代巻下に「覔國此云ニ矩貳磨儀ニ」萬葉集巻二十に「久爾麻藝之都都」(四四六五)などとあるによれば「まぐ」であると思はれるが、古事記上巻、八千矛神の歌に「夜斯麻久爾都麻麻岐迦泥弖」とある岐は、記傳の説のやうに、岐が清濁兩用どすれば、いづれとも決し難く、日本書紀巻十七、繼體天皇巻の勾大兄皇子の御歌に、野絁磨倶儞都磨磨祁哿泥底」とあるによれば清音にしたがふべきのである。（因に「八島國」にしても、上記のやうに、記には夜斯麻久爾と清音の假名が用ゐられて居り、紀には野絁磨倶儞と濁音の假名が用ゐられてゐて、一様でない。）であるから、一概に論定することは避けなければならぬが、前に例示した「ねぐ」（祈）は、これと同語と考定される「ねぐ」（勞）が、萬葉集巻六に「天皇朕がうづの御手もち搔き撫でぞ禰宜たまふ」（九七三）、同巻二十に「勇みたる猛き軍卒(いくさ)と禰疑たまひ」（四三三一）と見え、また、古事記中巻景行天皇の條に、「天皇小碓命に詔りたまはく、何とかも、汝の兄、朝夕の大御食に參出來ざる、もはら汝、泥疑教へ覺せと詔りたまひき。」「若いまだ誨へずありやと問ひたまへば、既に泥疑つとまをしき。」などとあるネギも、懇切に勸誘する義と解せられて同語と思はれるのであるが、これらのものが、みな濁音の假名で表記されてゐるのを見ると、「ねぐ」（祈）の「ぐ」の濁音であることは疑はれない、　しかして、この「ねぐ」は「のむ」（祈）と同系の語であらう。　語幹は、一方は ne- であり、一方は no- であるが、これは、母音の變化による分化と考へてよいのであるから、こゝに、語尾の -GU と -MU との對比が認められるのである。「のむ」の例は、一々擧げるまでもないが、日本書紀卷五、崇神天皇十年九月の條に、「叩頭此云廼務」とあり、萬葉集卷五に「布施おきてわれは許比能武」(九〇六)「立ちあざりわれ乞ひ能米ど」(九〇五)同卷二十に「天地の神を許比能美」(四四九九)同卷十七に「あが許比能麻久」(四〇〇八)などがある。　さらに按ふに「ねる(練)」といふ語も、同じ動作を繰返す義で、同系のものであらう。　また、新撰字鏡卷六、二水部第六十七に「冶」字に「鈼也禰也須也」とあり、類聚名義抄には「鍛」・「鑄」・「錬」にネヤスの訓があり「鎔」にカネネヤスの訓があり、また、新撰字鏡卷十、才部第百一には「挻」字に、「柔也和也取也長也土平禰也須」(享和本參酌)とあるのを取合せてみると、「ねやす」といふ語も同類と思はれるが、この「ねやす」は「ねゆ」といふ語から派生したもので、直接には「ねゆ」が同系の語と見られるべきのである。　「ねゆ」といふ語は古くは見出し得ないが、伊呂波字類抄には「糊」「黏」にネユ・ネエタリの訓がある。

第五、-TU と -SU との對比

{ke-tu (消)
ke-su (消)}　{hana-tu (放)
hana-su (放)}

「消つ」と「消す」「放つ」と「放す」とは、ほとんど同義に用ゐられるが「けつ」・「はなつ」の方が、「けす」・「はなす」よりも表現の力が強く、かつ時代的に古い。　かういふ語尾におけるTとSとの例は、下二段活用の「うつ」 u-tu (棄)と「うす u-su (失)との關係においても見られる。　この場合には「うつ」は他動詞であり、「うす」は自動詞であるが、本來同意語であつて、それが異なる語尾によつて、自他に分化したものであると考へられる。　この場合にも、-TUの強さがあらはれてゐる。「うつ」の例は、古事記上卷八千矛神の御歌に、「幣都那美、曾迺奴岐宇弖」、「幣都那美、曾迺奴棄宇弖」とあり、また、日本書紀神代卷上に「吹棄氣噴之狹霧此云浮枳于都屢伊浮岐能佐擬理」とあり、萬葉集卷五に「佐和久兒等遠波宇都弖弖波(八九七)」とあるウッテが、ウチウテの約であることは、同卷十一に「古衣打棄人者(二六二六)」「たまちはふ神もわれをは打棄乞(六六六一)の打棄人はウッテシヒト、打棄乞はウッテコソと訓まれるべき・ものであるのを參照とすれば、おのづから明らかであらう。　もちろん、同じく萬葉集中にはスツといふ語も並び用ゐられてゐるが、ウツといふ語が、後世漸く影をひそめ、ナゲウツといふやうな複合語中にその語形を存してゐるに過ぎないことを思へば、ウツの方がスツよりも古いものであらうと考へられる。　しかし、ナゲウツ(擲)といふ語は、四段活用の動詞となつてゐるが、ウツ(棄)といふ語は、奈良朝では下二段活用であつたのである。

第六、 -TU と -RU との對比

{ayama-tu (過)
{ayama-ru (過・誤)

{tagi-tu (湍・滾)
{tagi-ru (滾)

{heda-tu (隔)
{hena-ru (隔)

右の類の對比は、ほとんど同義ではあるが、-TU が -RU よりも強い表現の力をもつてゐる。　なほ、「あやまつ」・「あやまる」は、古くも相並んで用ゐられてゐるが、新撰字鏡には、巻三、言部第三十、「詿」字に「誤也過也失也阿也萬豆」また「誑」字に「不正也誤也阿也末豆」とあり、名義抄には、過・失・謬・錯をアヤマルと訓んである。「たぎつ」「たぎる」の對比も、同義ではあるが、前者の方が力強いといふことが出來よ

う。　「へだつ」・「へなる」の二語は、語源的には疑問があるけれども、「へ」に隔の義があり、「だつ」に立の義があつて、「そばだつ」などの「だつ」と同じであると考へ、「へなる」の「なる」の「な」が、DとNとの通音で「だつ」の「だ」と相通ずると考へれば、こゝにもやはり、-TUと-RUとの對比が認められる。「へだつ」は、古くから四段にも下二段にも活用したやうであるが、萬葉集巻五、「白雲の千重に邊多天留筑紫の國は」(八六六)、同巻八、「天の河敝太而禮婆かもあまたすべなき」(一五二二)などは、四段活用の例である。「へなる」は、萬葉集などでは、もつぱら四段活用の例のみである。しかしまた、この「へなる」を「はなつ」・「はなす」と同系のものであつて、「へなる」の「へ」は、「はなつ」・「はなす」の「は」の母音の變化によるものであるとすれば、次の第七のうちに數へられるべきものであらう。

第七、-TU, -RU, -SU の對比

kuda-tu (降)
kuda-ru (降)
kuda-su (降)

hana-tu (放)
hena-ru (隔・放)
hana-su (放)

右のやうな三者對比の例は、四段活用の動詞相互間にあつては、はなはだ稀である。

「くだつ」・「くだる」・「くだす」の三語のうちで、後の二語は、クダルが自動詞的の語、くだす」が、他動詞的のものとして、その對比が明白であるが、「くだつ」の假名書の例は、比較的少いからはつきりしないが、まづ、夜のふけること、身世の晩年に及べることなどを意味してゐるやうである。　萬葉集巻十九の夜裏聞千鳥喧歌二首のうちに「夜具多知爾寢覺めてをれば河瀬とめ心もしぬに鳴く千鳥かも」(四一四六)とあるヨクダチのクダチもそれであるが、この夜具多知を、その次の歌では「夜降而」といふやうに、夜降の二字で書きあらはしてゐる。　このヨクダチは、夜のふける義である。　萬葉集巻五に「わが盛りいたく久多知ぬ雲に飛ぶ藥はむともまたをちめやも」(八四七)とある歌のクダチは晩年に及ぶ義である。　伊呂波字類抄巻六に「斜」をクダツと訓んで「日斜」の例を出してゐるのも、その義にかなつてゐる。　古く大祓詞に「夕日之降乃大祓」とある降もクダチと訓むのである。

「はなつ」・「へなる」・「はなす」の三語が果して嚴格な意味における對比をなすかどうか、少し疑はしい。ヘナルは、むしろヘダツと對比關係に立つものとしてみるのが、適當であるかも知れない。音韻的に考へれば、DとNとは、同じく齒音であり、共に有聲子音であり、たゞDは口音、Nは鼻音であるといふだけで、相通の可能性が多いからである。しかし、萬葉集巻十七に「玉鉾の道をた遠み、山河の弊奈里てあれば」(三九五七)、同巻二十に「初尾花花に見むとし天の川弊奈里にけらし年の緒長く」(四三〇八)、同巻十七に「白雲のたなびく山を、岩根ふみ越え弊奈利なば」(四〇〇六)などのやうに用ゐられてゐるのをみれば、意義は「隔」の方に近いが、語は「離」の方に親しみをもってゐる。ヘナルはハナルであらう。ヘナル・ヘダツのへを「重」の義とし、ヘナルは重の出來る義、ヘダツは重の立つ義とする解釋もあるが、それは首肯し難い。語源的に考へれば、むしろ、波行音のHA、HEがこれらの語の共通の語根であり、-NA-、-DA-は語幹形成素であると見る方がよいと思ふ。奈良朝頃にも、ハナルといふ動詞が多く文獻に見えてゐるけれども、それは下二段活用のハナルであるから、他の四段動詞と對比せしめるのは、いささか不倫の嫌がある。 もし、さういふ點を顧慮しないのならば、kobo-su (毀), kobo-tu (壞), kobo-ru (毀) の一類も、この例に入るべきのである。 このうちで、コボス・コボツは四段活用で、あり、コボルは下二段活用に屬する。

以上のやうな、語尾の對比は、前にも述べたやうに、或特定の語類にあつて認められる現象であるが、われわれは、これによつて、それらの語尾相互間の、微妙な意義上の差異をうかゞひ得るのである。 しかし、この種の語尾の性質を、單に四段活用の動詞の上からのみ推論するのは早計である。 われわれは、なほ廣く、他の諸種の動詞の構成に照らして考ふべきのである。

さらにまた、四段活用の動詞についてみても、上に述べた類の語尾の他に、-HU, -BU の如き、ほとんど對比の圏外に立つ語尾がある。 この二つのものは、かなり廣い範圍にわたつて、四段活用動詞構成の一勢力を形づくつてゐるが、これは、語幹そのものの考察と交渉をもつ點が多い。 一例をあげれば「あがふ(贖)といふ語は、aga- が語幹で、-hu が語尾であると考へられるが、これは「あぎとふ」(嬰兒の片言をいふ義、また噞喁)が、agito- が語幹で、-hu が語尾であるのと同類であるが、この類だけを見ると、語尾 -HU は名詞について動詞を構成するに用ゐられるといへるが「あきなふ」(商)といふ語にあつては、「あき」に「商」の義がある。しからば aki-hu となるべきのに、これは、akinahu となつてゐる。もし「ふ」が語尾であるとすれば、akina- が語幹であるが、この akina- の na は何であるか。さらに「つみなふ」(罪)・「になふ」(荷)などの例を見ると、名詞である「つみ」(罪)または「に」(荷)に「なふ」がついて動詞となつてゐるが如く見える。しからば、-nahu が語尾として取扱はれるべきものではないかといふ疑問が生ずる。これについて、また、「あがふ」(贖)といふ語に立戻つてみるに、この「あがふ」は古い語であるが、これに對して「あがなふ」といふ語が出來てゐる。この類に「うらふ」(卜)に對する「うらなふ」といふ語がある。これらを、單に他の類推による派生として説くのは、謂れなきものと考へられる。何となれば、「おくらす」(後)に對する「おくらかす」、「くゆらす」(燻)に對する「くゆらかす」、「はふらす」(放)に對する「はふらかす」の如きは、「かがやかす」(輝)・「はららかす」(散)などの類推から派生したものとして説明されるが、この場合には「かわかす」・「かがやかす」・「はららかす」が、それぞれ「かわく」・「かがやく」・「はららく」といふ本語から派生したものであつて、したがつて、kagayaka-, hararaka-といふやうな語幹が形成されるべきのは當然であるから、これらの類推からokura-su, kuyura-su などの語幹に -ka- が附加へられて、これらが okura-ka-su, kuyura-ka-su などとなつたと解せられるのであるが、前に述べたやうな「あきなふ」・「つみなふ」・「になふ」などにあつては、語幹の「な」の性質が、すでに疑問であるから、「あがなふ」・「うらなふ」などの構成も、輕々しく論斷されるべきではない。

わたくしは、右に述べたやうなアキナフの-NA-オクラカスやカガヤカスの-KA-の如きものを、語尾に屬するものでなく、語幹を形づくる形成素、すなはち語幹形成素として取扱ふことにしてゐる(次章參照)。しかし、學者のうちには、アキナフのナフ、オクラカス・カガヤカスのカスの如きを語尾として取扱つてゐる人もある。大島正健博士は、その著「國語の語根とその分類」四〇五頁以下において、動詞の語尾を單音語尾と複音語尾とにわけ、複音語尾として、

カフ　アツ・カフ(管理)　イサ・カフ(爭)　シタ・ガフ(從)

ソフ　アラ・ソフ(爭)　キ・ソフ(競)

タフ　キ・タフル（鍜）　コ・タフル（答）　ヨコ・タフル（横）
トフ　イ・トフ（厭）　マ・トフ（纒）　マ・ドフ（惑）
ナフ　アキ・ナフ（商）　トモ・ナフ（件）　ヤシ・ナフ（養）
ノフ　ツグ・ノフ（償）　トト・ノフル（整）
ハフ　アヂ・ハフ（味）　イ・ハフ（祝）　サキ・ハフ（幸）
ホフ　イキ・ホフ（勢）　ウル・ホフ（潤）
マフ　ウヤ・マフ（敬）　フル・マフ　ワキ・マフル（辨）
モフ　アト・モフ（率）
ヨフ　カ・ヨフ（通）　タダ・ヨフ（漂）　マ・ヨフ（迷）
ラフ　ク・ラフ（食）　サカ・ラフ（逆）　ヤス・ラフ（安）
ロフ　ウツ・ロフ（移）　ツク・ロフ（繕）　ヨ・ロフ（具）

の類を擧げ、また「尚ほ左の如き語尾の類あり。」として、次の如きものを擧げてゐられる。

ヤク　カガ・ヤク（耀）　ササ・ヤク（私語）　ツブ・ヤク（呟）

メク	ウ・メク(呻吟)	ヒラ・メク(閃)	ヨロ・メク(蹣跚)
ナム	イト・ナム(營)	サイ・ナム(責)	タシ・ナム(嗜)
バム	オイ・バム(老)	キ・バム(黄)	ムシ・バム(蠹)
ガル	イヤ・ガル(嫌)	ニク・ガル(憎)	ホシ・ガル(欲)
ブル	タカ・ブル(傲)	ヒナ・ブル(鄙)	ワカ・ブル(若)

大島博士は、右のやうなものだけを複音語尾として見てゐられたやうであるが、もし、この標準によつて複音語尾をあげるのならば、ウゴカス(動)・クラマス(暗)・オヨボス(及)のカス・マス・ボスなども、當然數へられるべき筈と思はれるのに、スの類は一切除外されてゐるといふやうに、複語尾なるものの性質も明らかでなく、また、語幹と語尾との分け方にも、疑はしいものが少くない。わたくしの意見は、本章および次章の所説でおのづから明らかになることであるから、こゝでは、とかくの批評をさしひかへておく。

第六章　語幹形成素各説

前章において述べたやうに、四段活用の動詞には、動詞の基本成分もしくは準基本成分に形成素が伴つて、語幹を形づくつてゐるものが少くない。今その形成素の各種について、解說を試みよう。

四段活用動詞の語幹を形づくつてゐる形成素といはれるものには次のやうなものがある。

一、-KA-, -KO-, -GA-, -GO-
二、-NA-, -NO-
三、-HA-, -HO-, -BA-, -BO-
四、-MA-, -MO-, -ME-, -MU-
五、-YA-, -YO-
六、-RA-, -RO-

七、-SA-, -SO-, -TA-, -TO-

第一　形成素 -KA-, -KO-, -GA-, -GO-

平安朝およびその以後の時代の文獻をみるに、四段活用の動詞の語幹に、形成素 -KA- をもつものが少くない。

(A) okura-ka-su (後)　obiya-ka-su (脅)　kadoha-ka-su (勾引)
kuyura-ka-su (燻)　magira-ka-su (紛)　sirana-ka-su (白)
tabura-ka-su (誑)　hahura-ka-su (放)　hiya-ka-su (冷)
maha-ka-su (廻)

の類が、それであるが、これらの -ka- は、古い時代の用語にはほとんどその例を見ず、かつ、語尾 -su につゞく場合に限られてゐるやうに見えるので、おそらく、次のやうな場合のものの類推によつて生じたものと考へられてゐる。

(B) ika-su (生)　ugoka-su (動)　odoroka-su (驚)
toka-su (溶)　naka-su (泣)　waka-su (湧)

右の類は、語幹が他語に由來してゐるものであつて、その本語の語尾の -ku

が、語幹の上にあらはれて來てゐるのである。　すなはち、これらの語幹は、それぞれ、i-ku（生）、ugo-ku（動）、odoro-ku（驚）、to-ku（溶）、na-ku（泣）、wa-ku（湧）などであるから、この類における -ka- は當然の存在であるが、前の類における -ka- は、理由なき存在であつて、これは類推によつて挿入されたのであるといふのが、通説なのである。　しかし、前者の例における -KA- のすべてが、果して類推によるものばかりであるかが疑問であるし、一方には、「はばかる」（憚 haba-ka-ru）・「あざける（嘲 asa-ke-ru）のやうな語における -KA-、-KE- の類例もあることであり、また、次のやうな、形成素としての -GA- の存在も、明らかに肯定されることであるしするから、形成素としての -KA- も、あながちに否定され得ないと思ふ。　なほ、後者の例における -KA- も、それはもと本語時代における語尾形成素であつたものが、派生語において、語幹形成素の地位に立つてゐるといふことを注意しなければならぬ。

右の -KA- との關係から見て、

o-ko-su（起）、　o-ko-ru（起）、　ki-ko-su（聞）、　nozo-ko-ru（除）、　todoro-ko- su（轟）

の類の-KO-もまた、語幹を形成する形成素として取扱はれるべきものである。これらの-KO-は、いづれも、その本語において、語尾-KUであつたものである。

次に、形成素 -GA- の例として擧ぐべきものに、uka-ga-hu (窺)、uke-ga-hu (肯)、ara-ga-hu (諍) の類がある。 ウカガフのウカは、萬葉集巻八に「この岳に小牡鹿ふみおこし宇加遲良比かもかもすらく君故にこそ」（一五七六）とあるウカネラヒのウカと同語であらう。 ウカネラフは、同巻十には「窺良布跡見山雪のいちじろく」（二三四六）のやうに、窺良布と書いてあるが、ウカには「窺」の義がある。 類聚名義抄、法上にも「諜」にウカ、フと注し、同法下には、さらに「間諜」に「ウカミス伺見」と注してある。 ウカミといふ語は、日本書紀の古訓にも見えてゐて、繼體紀には「烽候」をトブヒウカミ、推古紀には「間諜者」をウカミビト、孝徳紀には「斥候」をウカミと訓んでゐる。 このウカは、ウカネラフ・ウカミなどの例についてみれば、複合語を形成する場合の形であつて、ちやうどアガモノ（贖物）・アガチゴ（贖兒）のアガと同様な性質のものであるから、これが動詞に活用するにはアガフ（贖）と同じくウカフとなり、またウカナフとなつてもよいのであるが、これはウカフとならずにウカガフとなつてゐる。　アガはアガナフと活用し、これはウカガフと活用してゐる。　何故に一は -NA- であり、一は -GA- であるかは、説明が困難であり、ウカガフの -GA- は、ウカのカを反復したものであるとも考へられないではないが、それでは、同趣の場合であるアラガフ・ウタガフなどのガを説明することが出來ない。

ウケガフ(肯)といふ語は、平安朝ごろのものには、四段活用の例が見えてゐるが、果して、古い時代から、この語が存してゐたか明らかでない。　類聚名義抄、佛中の「肯」の條を見ると、アヘテ・アフ・ウケカヘ・ムヘナフなどとあり、「不肯」の條には、ガヘス・イナフ・ウケカヘニセスとある。　ガヘンゼズといふ語は、このカヘニセズの轉じたものであるとみれば、カヘは「易」の義であるとも考へられるから、したがつて、ウケカヘは「受易」の義であるといふ説にも一理あるやうであるが、それは、「不肯」の場合だけをみるからであつて、「肯」の場合のウケカヘを「受易」と説くのは、意味を成さない。「不肯」の場合においても、ガヘニセズはウケガヘニセズのウケの省略されたものであつて、複合したものであればこそ、カヘがガヘともなつてゐるのである。　わたくしは、やはりウケガフは、uke-ga-hu で、「ウケ」(受)に -GA- がついて、波行四段に活用したものであり、ウケフ(誓)すなはち uke-hu と同系の語であると考へる。　たゞし、名義抄のウケカヘは、下二段活用のものであることは、いふまでもない。

アラガフ(諍)は、語源においては、アラソフ(爭)と同系であらう。　アラガフのアラは、アラソフ(爭)のアラ、ガフはユキカフ(行交)のカフで、アラガフは爭ひ合ふ義、アラソフは、荒し合ふ義であるといふ舊説は從ひ難い。　兩者のアラは同じものであるが、-GA- と -SO- との相異で、二つの語は分れたのであらう。　天治本新撰字鏡巻三、言部第三十には、「諱」に「隱也忌也□也阿良加不又伊美奈」とあり、享和本新撰字鏡にも「諱」に「隱也志(忌の誤か)也避也阿良我不又伊彌名」とあつて、このアラガフは、諱の字義と一致しないやうであるが、類聚名義抄、佛上には「爭」をアラガフ・イカソ・ナンソ・アラソフ。キホフ・イソクと訓んである。

ウタガフ(疑)といふ語は、語源が明らかでないが、日本書紀の古訓などに「必也」・

「決也」などをウツナシとあるによれば、ウタとウツとは同系のものであつて、ウタガフは、やはり、この類に屬するものであらう。

su-go-su (過), na-go-mu (和), hiro-go-ru (廣)

右の例に見えてゐる -GO- は、その本語である、スグ(過)・ナグ(和)・ヒログ(廣)の語尾 -GU と關係をもつてゐる形成素である。

第二、 形成素 -NA-、-NO-

まづ、形成素 **-NA-** の、基本成分についたと認められるものの例をあげれば、次の如きものがある。

aki-na-hu (商), aga-na-hu (贖), ata-na-hu (敵), ura-na-hu (卜),
udu-na-hu (珍), oto-na-hu (音), tumi-na-hu (罪), ni-na-hu (荷),
mazi-na-hu (咒), mahi-na-hu (賂), iza-na-hu (誘), ube-na-hu (諾)

右の類はなほ多いが、これらは、基本成分が、名詞もしくは名詞に準ずるものであるが、この -NA- は、形成素として考へられるべきものである。 これらの

-NA-について、これをいかに取扱ふべきかに疑義の存することは、すでに前章においても、その一端を述べておいたが、まづ -NA- を語幹から切離して -NAHU を語尾とするかどうかを考へるに「あがなふ」(贖)と「あがふ」、「あたなふ」(敵)と「あたむ」(新撰字鏡卷十、心部第九十九「怏」に「懟也强也心不服也宇良也牟又阿太牟又伊太牟」とある。)「うらなふ」(卜)と「うらふ」、「うづなふ」(珍なふ、納受の義)と「うづす」(新撰字鏡卷三、言部第三十「謝」に「聽也從也宇豆須辭也」とある。)などの例を考へると、これらの語幹から -NA- を切離して、「なふ」を語尾とみる方がよいやうにみえる。しかしながら、前にも述べたやうに、活用形式の上から見た語幹・語尾の觀念からいへば、この -NA- は、語幹に屬する成分であり「は」「ひ」「ふ」「へ」と活用する部分だけを語尾と見るを妥當とする。

右のやうな -NA- に準じて考へられるべきものに、「たしなむ」(嗜)「かたじけなむ」(辱)などの「な」がある。「おこなふ」(行)・「そこなふ」(損)・「まかなふ」(設)・「うしなふ」(失)。などの「な」も同樣である。形容詞の「すくなし」(少)・「きたなし」(穢)の「な」もまたさうである。この -NA- は、また -NO- の形でもあらはれてゐる。新撰字鏡卷一、人部第十一に「佽」に「豆久乃布」、また「佾」に「當也還也復也報也牟久伊又豆久乃布」とある「つくのふ」(償)の如きは、すなはちそれである。 續日本紀巻二十五、天平寶字八年十月の宣命に「又竊六千乃兵乎發之等等乃比」とあるト、ノヒも、この類である。新撰字鏡巻二、口部第十八にある「啀」に「調人率下人也止々乃不又伊佐奈不又止奈不」とあるト、ノフは、萬葉集巻二に「御軍士乎安騰毛比賜齊流鼓之音者」(一九九)とある齊流にあたるもので、下二段活用の動詞であるが、これに「又止奈不」と注してあるのによれば、ト、ノフの toto- は疊音であり、ト、ノフはもとトノフであつて、トナフと同語であることが推定され、また -NA- と -NO- との相通ずる關係を窺ふことが出來る。 なほ、新撰字鏡巻二には「亂」および「恕」、同巻十には「撩」に、いづれも「止々乃不」と注してある。 しかして、この -NA-、-NO- の母音交替の關係は、「服從」の意味をあらはす「まつろふ」が、古事記中巻には「麻都漏波奴人等」とあり、日本書紀巻十四雄略天皇の御歌には「はふ蟲も大君に麻都羅符」とあるのを旁證とすれば、一そう容易に理解される。

第三、 形成素 -HA-, -HO-, -BA-, -BO-形成素-HA-のついたものと見られるものには、次の二類がある。今、その例をあげれば、次の如くである。

(A) i-ha-hu (祝・齋) ita-ha-ru (勞) uma-ha-ru (蕃息) kiyoma-ha-ru (淸) nigi-hahu (賑)

(B) ima-ha-ru (齋・忌) kuha-ha-ru (加) matu-ha-ru (纏) mado-ha-su (惑)

右のうちの(A)は、-HA- が本來の形成素と思はれるものである。まづ「いはふ」(祝・齋)についていへば、この語の基本成分は、イ(忌・齋)である。イム(忌・齋)は、このイに語尾 -MU のついた形であるが、このイムが本語となつてイマフといふ語も出來てゐる。さらに展開しては、イマハル・ユマハルといふ語ともなる。イはユとも相通じて、共に「忌」「齋」の義をあらはす。イハフは、基本成分イに形成素 -HA-がついて語幹を形成し、それに語尾 -HU のついたものである。

「いたはる」のイタは、イタム(痛)・イタヅク(勞)・イタツカハシ(勞)などのイタと同語であり、イタハルと同様に、形成素 -HA-をもつてゐると思はれるものにイタハシといふ形容詞がある。萬葉集巻五に「おのが身し伊多波斯計禮婆」(八八六)とある。 このイタハシは、イトホシといふ形にもなつてゐる。 これは、イタがイトに轉じ、形成素の -HA- が -HO- に變つてゐるのである。

「うまはる」(蕃息)は、日本書紀などの古訓に「蕃息」もしくは「殖」の字をかう訓ませてゐるが、このウマは、ウム(産)といふ動詞を本語としてゐる語形であるから、ウマのマは、本語の語尾から來た形成素であるが、こゝでは、ウマが基本成分となつて、第二の形成素 -HA- によつて、語幹を形成してゐるのである。 もつとも、萬葉集卷十六に「寺寺の女餓鬼申さく大神の男餓鬼たばりてその子將播」(三八四〇)とある將播をウマハムと訓ませてゐるのにしたがへば、ウマハムといふ訓は、ウマフといふ語を認めることになるから、さうすれば、ウマハルのハは、ウマフの語尾フから來た形成素として取扱はれなければならない。

「きよまはる」(清)は、キヨムから來たキヨマが基本成分となり、形成素 -HA- によつて語幹を形成してゐるのである。 キヨマのマが、本來キヨムの語尾から來た形成素であることは、前項のウマのマと同樣である。 たゞし、この本語キヨムは下二段活用の動詞である。 キヨマハルの例は、延喜式大殿祭の祝詞の

「持浄麻波利」などがある。

「にぎはふ」(賑)は、類聚名義抄では、「賑」・「饒」をニギハフと訓じ、「稼」をニギハヒと訓んでゐるが、この語に對してはニギハシといふ語がある。このいづれの-HA-も形成素である。新撰字鏡(享和本)イ部第十には「伽」の條に「豊也饒也由太介志又爾支波々志」とあるが、これは、ニギハフのニギハを基本成分とし、それに形成素-HA-の加はつたものが、語幹となつてゐるのである。これは形容詞であるが、語の構成様式は、動詞と相通ずるものがある。

(B) は、形成素-HA-が、もと、その本語において語尾であつたものである。
「いまはる」(齋・忌)は、前のイハフの條に述べたやうに、イムから轉じたイマフを本語としてゐる。であるから、イマハルのima-ha-の-HA-は、本來イマフima-huの語尾-HUから來たものである。「くははる」(加)・「まつはる」(纏)・「まどはす」(惑)の語幹もまた、同様にクハフ(加)・マツフ(纏)・マドフ(惑)を本語としてゐるのである。

以上の他に、種々問題となるべきものがあるが、そのうちの二三だけをあげてみる。それは、「うしはく」(領知)・「うすはく」(領知)および「うごなはる」(集)・「たゝなはる」(疊)の語詞の構成である。これらは、いづれも四段活用の動詞であるが、まづ、ウシハク・ウスハクについていへば、この二語は、もとより同語であるが、語源が明らかでないので、構成をはつきりさせるに困難であるが、舊說のやうに、ウシが「大人」の義であり、ウスはウシの轉であるとみるにしても、またわたくしがかつて假說を出したやうに、ウシ・ウスは、ヲスクニ(食國)のヲス(食)と同系列のものので、さらにヲサ(長)・ヲサム(治)・ヲシフ(教)・ヲシフ(教)などとも關係をもつ語で、ウシハク・ウスハクは、假に想定してみれば、ウシフといふやうな語に、語尾クのついたものであらうと考へるにしても、そのいづれたるを問はず、ウシもしくはウスが基本成分であることになる。さうすれば、これもやはり、語幹は、基本成分に、形成素 -HA- のついたものと考へられよう。

「うごなはる」(集)は、貞觀儀式大祓の條「參集謂末爲宇古那波禮留」とあるによつて、「集」の義をもつことは明らかであるが、語源はたしかでない。しかし、この語の本來の基本成分はウゴであつて、ウゴメク(蠢)のウゴと同じなのであらう。さすれば、このウゴに形成素 -NA- がつき、それが語幹となつて、語尾 -HU を伴つたものがウゴナフであり、そのウゴナフ ugo-na-hu の ugona- が基本成分となつて、それに、本語の語尾 -HU から來た形成素 -HA- のついたものが、ウゴナハルの語幹であるとみて然るべきものであらう。 たゞし、ウゴナフは、文獻にその例を見ない。

「たたなはる」(疊)も、前項に準ずれば、タタナフから來た語であつて、タタナフにあつては -NA- が形成素、タタナハルにあつては、-HA- が形成素といふことにならう。 タタナフの例も文獻に見えてゐないが、タタナヅクといふ例は、諸書に見えてゐる。 古事記中卷、倭建命の御歌に「倭は國のまほろば、多多那豆久青垣山ごもれる倭しうるはし」とあり、萬葉集にも、卷一に「玉藻なすかよりかくより靡かひし嬬の命の多田名附柔膚すらを」(一九四)、卷六に、「やすみししわご大王の、高知らす芳野の宮は、立名附青垣ごもり」(九二三)などともある。 このタタナヅクのタタナは、やはりタタに形成素 -NA- が第一次的につき、 -DU- が第二次的についたものであらう。 そのタタはタタム(疊)のタタと同じものと解してよいやうである。

次に、形成素 -HO- のついたものについて考察するに、これには、

uru-ho-su (潤)　·uru-ho-hu (潤)　omo-ho-su (思)　moto-ho-ru (廻)
moto-ho-su (廻)　moyo-ho-su (催)　yoko-ho-ru (横)

のやうなものがあるが、いづれも本語の語尾に -HU をもつてゐるものらしい。

まづ、「うるほす」(潤)についてみるに、この語の本語には、ウルフといふ語がある。類聚名義抄、法上では、「濡」・「潤」・「滋」・「霑」などをいづれもウルフと訓んでゐる。また、ウルホスに對してはウルホフといふ語がある。次に、「おもほす」(思)の本語がオモフであることはいふまでもない。また、オモホスに對してはオボスといふ語がある。

「もとほす」(廻)に對しては、「もとほる」(廻)がある。モトホスの例は、日本書紀巻九、神功皇后の御歌に、「豐壽ぎ保枳茂苔保之」、新撰字鏡巻四、衣部第三十九に、「衿」の條に「領衣上縁也、己呂毛乃久比乃毛止保之」モトホルの例は、古事記中巻、神武天皇の御製に「神風の伊勢の海の大石に波比母登富呂布したゞみのいはひ母。

登富理うちてしやまむ」(日本書紀巻三には「神風の伊勢の海の大石にやいはひ茂等倍屢しただみの……いはひ茂等倍離……」)新撰字鏡巻四、糸部第三十八に「緣」の條に「毛止保利又衣乃保曾久比」同巻九走部第八十八「趣」に「轉也信也移也毛止保留」萬葉集巻二に「鶉成す伊波比毛等保理」(一九九)同巻十九に「大殿のこの母等保里の雪な踏みそね」(四二二八)などがある。上に引いた古事記中巻の神武天皇の御製に見えてゐるモトホスは、このモトホルから轉じた語形である。このモトホス・モトホルの想定本語はモトフであるが、その例を見ない。しかし、マツフ(纏・縷)といふ語はある。これが、おそらく、その本語であらうか。この語尾-HUが形成素 -HO としてあらはれて來てゐるのであらう。

もよほす(催)の語源は明らかでないから、輕々しく論ずることは出來ないが、假に一説を立てれば、この語はモユ(萌)といふ語から出てゐるのではあるまいか。モユ(萌)を本語としてゐるものにモヤスがある。和名抄巻四、飲食部麴糵類に「糵魚列反、與𥻨乃毛夜之」とある。狩谷棭齋の箋註に「本草和名、糵米和名毛也之、醫心方糵米和名毛也之、按萌訓二毛衣毛由一、芽生之義、萬葉集萌作二目生一、卽是義毛也、之、是使二之萌一之義」とあるが、大體において、この說のやうに、モヤスはモユから出た語であらう。　さてモヤスにあつては、ヤが形成素であるが、モヤスに對してモヤフの想定が可能であるとすれば、モヨホスといふ語の出自も、おのづから說明される。　モヤフのヤがモに同化されてヨに轉じ、語尾のフが派生語の形成素として同じく「お」列に變つたとみれば、モヨホスもまた、形成素-HO-をもつ種類に屬するものとして取扱はれる。　オボユ(思)に對してオボス(思)といふ語があるが、オボフ(思)の例は見えないで、オボホス(思)があらはれてゐる(オモフからオモホスが出來てゐるやうに)が如きは、この旁例と見ることが出來よう。

「よこほる」(横)もまた、伊勢物語に「甲斐が嶺をさやにも見しがけけれなくよこほりふせる小夜の中山」などのやうに用ゐられてゐるが、これは yoko-ho-ru の構成で、ヨコは基本成分、-HO- は形成素である　下二段活用のヨコタフ(横)も yoko-ta-hu で、-TA- は、その例が少いが、形成素であり、これを本語として、ヨコタハル(横)が出來てゐる。

次に、形成素 -BA- について考察を進めてみよう。

これにも、次の二類があるやうである。

(**A**) hure-ba-hu (觸)　oi-ba-mu (老)　ki-ba-mu (黄)

(**B**) uke-ba-ru (專)　nara-ba-hu (竝)　yo-ba-hu (呼)

右のうちの(**A**)は、-BA- が本來の形成素である場合である。

まづ「ふればふ」(觸)についてみるに、この語は、平安朝のものに見え初めてゐるのであるが、古語にはフラバフ(觸)がある。古事記下巻、三重采女の歌に、「上つ枝の枝の末葉は、中つ枝に落ち布良婆閇、中つ枝の枝の末葉は下つ枝に落ち布良婆閇」とあるが、この歌のフラバへは、波行下二段の活用である。活用は異なるが、構成は同様であるから、何故に、フルといふ語が、この場合において、古くはフラバフであり、後世ではフレバフであるかが問題となるが、これには、二樣の解釋があり得る。第一は「よぶ」(呼)が「よばふ」「きる」(霧)が「きらふ」「あます」(餘)が「あまさふ」「なびく」(靡)が「なびかふ」となるやうに、元來四段活用の動詞である語が、さらに、波行の語尾をとる時には、その未然形の形からするのを常とするから、-BA-

につゞくのも同例と見るべく、古くフルが四段活用であつた時代には、フラバフとなり、それが下二段になつた時代には、フレバフになつたと見るのである。しかし、右のやうに、基本成分を未然形とみるのは、必らずしもその當を得たものとはいへない。「あ」列の音から形成素につゞくものは多いが、さうでないものもある。 かつまた、ヨバフ(呼)キラフ(霧)のやうな類例は、必らずしも四段活用のもののみに限らない。 それには、ナガラフ(流)の例がある。 ナガル(流)は下二段活用の動詞であるから、もし、前に述べた解釋の如くであるとすれば、これはナカレフとなるべきのに、さういふ例はない。 萬葉集巻八に「沫雪かはだれに降ると見るまでに流倍散るは何の花ぞも」(一四二〇)同巻十に「きざし鳴く高圓のへに櫻花散りて流歴見む人もがも」(一八六六)とある流倍はナガラへ、流歴はナガラフと訓むべきことは、同音異義のナガラフ(長ラフ)の義とする説にしたがふとして)を、巻十九に「天地の遠きはじめゆ、世中は常無きものと、語りつぎ奈我良倍來たれ」(四一六〇)と書き、それと同語と思はれるものを、巻十に「天ぎらひふり來る雪の消なめども君にあはむと流經わたる」(二三四五)と書いてゐるのによつても知られる。かくの如くであるとすれば、未然形よりつゞくといふことは問題にならない。そこで、第二の解釋がある。それは、基本成分が形成素の-HU-や-BU-と結びつくには「あ」列音からつゞくといふ說である。これには多分の妥當性がある。後にも述べるやうに、多くの場合はさうであるといへる。しかし、手近い例をとつてみても、ウケブ(誓)の如きものがあり、またマナブ(學)とマネブの如きものもあつて、一概にこれを論ずることは出來ない。マナブとマネブの如きも、或說によれば、マネブの方が古い形であつて、マナブの方はその轉じたものであるといふ。フラバフとフレバフの如きも、また、單にフル(觸)といふ動詞の活用が、古くは四段であり、後に下二段に變つたといふことだけで、その新古を論じ得ないやうにも思はれる。なほ、フラバフといふ動詞それ自身についてみても、旣記古事記下卷の歌の例は下二段であるが、四段活用のものも併存してゐたのではないかといふ疑もある。

「おいばむ」(老)・「きばむ」(黄)の類には、なほ、「けしきばむ」(氣色)・「すすばむ」(煤)・「ちりばむ」(塵)など種々のものがある。たゞし、「むしばむ」(蟲喰)・「ついばむ」(啄)などは、ハムに「喰」の義があるのであるから、別類に屬する。

さて、これらの形成素 -BA- は、一方においては、ウカブ(浮)・クラブ(比)・ムセブ(咽)・ニギブ(柔)などの -BU と相通ずるものであり、他の一方においてはまた、オトナブ(大人)・コトナシブ(無事)などの -BU とも關係をもつものである。しかし、オイバム・キバムなどの場合にあつては、別個に、形成素として語幹を形づくつてゐることはいふまでもない。

次に、(B)の種類に屬する語中の -BA- は、いづれも、その本語の語尾が、語幹の形成素としてあらはれて來てゐるものである。

「うけばる」(專)は、源氏物語若菜上に「大將したりがほにて、かゝる御なからひにうけばりてものしたまふ」などのやうに用ゐられてゐる語であるが、これはウケフ(誓)と同系のものと考へられる。ウケフは、古事記上卷に「如二木花榮一榮座宇氣比弖貢進」とあるウケヒテが、木の花の榮えるが如く榮えるにちがひないといふ確信のもとに「木の花の榮ゆるが如く榮えませ」といふウケヒを立てたのであるによつても知られる如く、また古人がこれを受合ふ義であると說いてゐる如く、その本義は、「自己の思ふ通りにする」「他を顧みない」といふやうなことであるから、ウケバルに含まれてゐるやうな意義を展開させて來るのは、怪しむに足りない。ウケフの場合には、フが清音であるのに、ウケバルにあつては、バが濁音になつてゐるが、これは、他の諸例にも見られるやうに、清濁は、深く拘泥するを要しない。

「ならばふ」(並)「よばふ」(呼)が、それぞれ「ならぶ」(並)「よぶ」(呼)を本語としてゐるものであることは、別に論ずるまでもないことである。

右に述べた -BA- は、また -BO- の形で、形成素としてあらはれて來ることがある。これにも、(A)(B)の二類がある。sara-bo-hu (曝), tiri-bo-hu (散), yoro-bo-hu (蹌踉) の如きは(A)類であり、oyo-bo-su (及), horo-bo-su (亡), yoroko-bo-hu (喜) の如きは(B)類である。

「さらぼふ」(曝)のサラは、サラス(曝)の語幹サラと同じである。サラボフが、形容枯槁の義に用ゐられるのは、けだし、その本義より來てゐるのであるが、このサラといふ基本成分につく形成素が -BA- で無くて -BO- であるといふことは、基本成分がすべて「あ」列のものである關係からみて異様であるが、これは、ヨバフ(呼)などの場合では、語幹が、ヨブといふ語を本語としてゐるので、基本成分と形成素との結びつきが緊密であるために「あ」列音で語尾につゞく傾向の勢力が比較的に強くはたらいてゐるのであるが、サラなどの場合では、基本成分と形成素との關係が幾分か遊離的であるために、-BA- が -BO- の形であらはれるといふことにもなるのであらう。「ちりぼふ」(散)の場合も、大體において、同様である。「よろぼふ」(踉蹌)にあつては、基本成分が「お」列のものであるので、-BO- になる傾向が、一そう強い筈であるといへる。 日本書紀巻十一、仁徳天皇の御製につぬさはふ磐之媛が、おほろかに聞こさぬ末桑の樹、寄るましじき川の隈々、豫呂朋譬喩久かも末桑の樹」とあるのは、この語の一例であるが、その基本成分はヨロで、ヨロメクのヨロも、これと同語である。 しかして、この歌の場合のヨロボヒユクは、水のまにまに、桑の枝がよろよろと川を流れてゆくさまをいつたのである。

(B)の類は「およぶ」(及)と「およぼす」「ほろぶ」(亡)と「ほろぼす」「よろこぶ」(喜)と「よろこ

ぼふ」の關係をみれば、前者の語尾が、後者にあつては、語幹の形成素となつてゐることがわかる。 前者は、概して四段活用の動詞であるが、ホロブだけは上二段活用である。

四段活用の「むすぶ」(結)から、右と同様な關係において、下二段活用のムスボルといふ語が出來てゐる。 その例は、萬葉集卷十八に「たづが鳴く奈呉江の菅のねもころに思ひ牟須保禮」(四一一六)とあるが、これに對してムスボホルといふ語がある。 類聚名義抄、法下、「疣」の下にムスホホルとあり、また、拾遺集に「春くれば、柳の絲もとけにけりむすぼほれたるわが心かな」などのやうな例が少くないがこれと同語にムスバハルがある 新撰字鏡卷四、糸部第三十八「絓」の條に「惡絲也礙也懸也繫也絲牟須波々留」とあるのが、それである。 このムスボホル・ムスバハルから復元するとムスボフ・ムスバフといふ四段活用の動詞の存在が想定されるわけであるが、その用例は見當らない。

第四、形成素 -MA-, -MO-, -ME-, -MU-

形成素 -MA- にもまた、(A)(B) の二種があるやうである。

(A) huru-ma-hu (振舞)　wiya-ma-hu (敬)

(B) kara-ma-su (絡)　sa-ma-su (醒)　naya-ma-su (惱)　hage-ma-su (勵)
atata-ma-ru (煖)　kaga-ma-ru (屈)　kasiko-ma-ru (畏)　sada-ma-ru (定)

右の(A)の類は、本來の形成素 -MA- を伴ふものである。　ふるまふ(振舞)の語源は確かでないから、この場合の -MA- が本來の形成素であるかどうかには疑問がある。　しかし、「ゐやまふ」(敬)は、おそらくヰヤが基本成分で、それに形成素 -MA- のついたものが、語幹となつてゐるのであらう。「うやまふ」といふ語にあつても同様である。　もつとも、ヰヤブ・ウヤブといふ語のあることを考へればヰヤブ・ウヤブから、ヰヤム・ウヤムといふ語形も想定し得るから、ヰヤマフ・ウヤマフの語幹は、本語ヰヤム・ウヤムから來たもので、語幹の形成素は、本語の語尾にもとづいてゐるといへないこともない。

(B)の類は、語幹の形成素が、いづれも、その本語の語尾の轉じた場合のものである。「からむ」(絡)と「からます」、「さむ」(醒)と「さます」、「なやむ」(惱)と「なやます」、「はげむ勵)と「はげます」、「あたたむ」(煖)と「あたたまる」、「かがむ」(屈)と「かがまる」、「かしこむ」(畏)と「かがまる」、「さだむ」(定)と「さだまる」の關係を見れば、この形成素の性質は明らかにならう。 以上の本語のうち、カラム・ナヤム・ハゲム・カガム・カシコムは四段活用であるが、サムとアタタムは下二段活用である。

「あつまる」(集)といふ語も、この類に屬するやうであるが、これには疑義がある。これを「あつむ」(集)といふ、下二段活用の動詞から來たものとするだけなれば問題はないが、さらにアツムをa-tu-muとわけてみると、ツム(積)といふ四段活用、動詞と關係をもつことになつて、接頭辭「あ」の複合したものとなつて來るからである。

次に、形成素 -MO- を伴ふ場合は、きはめて稀である。 「あどもふ」(率)といふ語があつて、萬葉集卷二に「御軍士を安騰毛比たまひ」のやうに見えてゐるが、もしこの語のアドを基本成分とすれば、ado-mo-hu となり、-MO- が形成素として考へられるが、語源は確かでない。 或は、この語は、トモフ(伴)が原語で、それにアがついてアドモフとなつたのであるといふ。 その説によれば、別類のものとなる。次に「とよもす」(響)といふ語がある。これは、「とよむ」(響)を本語としてゐる語であつて、toyo-mu の -MU といふ語尾が、-toyo-mo-su では、形成素 -MO- となつてあらはれてゐる。

右にあげた類の形成素の他に、「うめく」(呻)・「ささめく」(私語)・「そよめく」(戰)・「なまめく」(媚)・「をめく」(叫)などにあらはれてゐる -ME- が、やはり、一種の形成素である。これらは、その用法に局するところがあり、他の形成素とは趣を異にしてゐる點もあるが、その展開の様式の上からみて、これは形成素とみる方がよいやうである。

また、「おもむく」(赴)・「かたむく」(傾)・「そむく」(背)などは、これを、オモ(面)・カタ(片)・ソ(脊)が、それぞれムク(向)といふ語と複合したものであるとすれば、これらの語の -MU- は、形成素として取扱はれないが、アサム(淺)から出たと見られる「あざむ」(驚嘆)に對して「あざむく」(欺)といふ語のあるのを見れば、この -MU- には、なほ疑問の餘地がある。

第五、 形成素 -YA-, -YO-

形成素 -YA- もまた、(A)(B)の二つにわけて考へられる。

(A) aza-ya-gu (鮮), kaga-ya-ku (輝), sasa-ya-ku (私語), saha-ya-gu (爽),
tawo-ya-gu (嫋), tubu-ya-ku (呟)

(B) ko-ya-su (臥), ko-ya-ru (臥), ku-ya-su (崩), ku-ya-mu (悔),
sobi-ya-gu (聳), waka-ya-gu (若), wo-ya-su (瞑)

右のうち(A)の類に見えてゐる -YA は、純然たる語幹形成の成分であつて、アザヤカ・カガヤカ・ササヤカ・タヲヤカなどのヤと共通のものである。 この -YA- が -YO- の形でもあらはれて來ることは、カガヤクに對してカガヨフの語があり、萬葉集卷六に「見渡せば近きものから石隱り加我欲布珠を取らずばやまじ」(九五一)、また同卷十一に「ともし火のかげに蚊蛾欲布うつせみの妹がゑまひし面影に見ゆ」(二六四二)のやうに用ゐられてゐるのによつても知られる。

(B)の類は、-YA- が本語の語尾と關係をもつてゐるものである。

「こやす」(臥)・「こやる」(臥)の本語は、萬葉集卷十七に「打靡き床に許伊布之」(三九六二)、同卷十九に「玉藻なす靡き許伊臥」(四二一四)、また同卷五に「宇知許伊布志提」(八八六)などとある許伊であるが、この語の活用は、從來上二段と考定されてゐるが、確證を缺く。しかし、コヤスといふ語に、日本書紀卷二十二の聖德太子の御歌に「飯に飢て許夜勢流その旅人あはれ」、萬葉集卷五に「打靡き許夜斯ぬれ」(七九四)などの例があり、コヤルの語に、古事記下卷、輕太子の御歌に、「槻弓の許夜流許夜理母」の例があるのを見れば、許伊から、四段活用のコユといふ動詞の存在を想定してもよいと思ふ。いづれにしても、コイは連用形と見られるが、この夜行音を語尾にもつコユといふ動詞が本語であつて、それからコヤス・コヤルの語幹が出來たものであることはいふまでもない。

「をやす」(瞑)といふ語もまた、その本語としてヲユといふ動詞の存在が想定されるが、その本語とみるべきものには、ヲエといふ連用形の例を見るに過ぎない。それは、古事記中卷神武天皇の條に、「爾神倭伊波禮毘古命、倏忽爲遠延、及御軍皆遠延而伏」のヲエである。ヲエが連用形であるとすれば、この動詞は夜行下二段活用に屬するものと思はれるが、これが本語となつて、ヲヤスの語幹は形成されたのである。　このヲヤスについて、春日政治教授は、石山寺本大智度論天安點に「廻盼（カヘリミミテ）巧瞤（ニヲヤス）」（巻十四）、また同寺本法華經玄贊古點に「狐ノ音ハ扈都反玉篇「妖（ヲヤス）獸ソ鬼ノ所乘ナリ（巻六）とあるのを引かれて、この語は、「怪獸などの蠱惑したり、美人などの魅惑したりする義に普通に用ゐられたものである。　類聚名義抄には、媚字にヲヤスとつけてある。　魅字と通ずる字で智度論の瞤字も亦同様である。」といつてゐられる。（同教授著「西大寺本金光明最勝王經の白點について」六一一頁以下參照）

「くやす」（崩）が下二段の「くゆ」（崩）、「くやむ」（悔）が上二段の「くゆ」（悔）、「わかやぐ」（若）が下二段の「わかゆ」と關係をもつことはいふまでもない。「そびやぐ」（聳）といふ語も「そびゆ」（聳）といふ下二段活用の動詞を本語としてゐるものであるが、また、ソビヤカニといふ語とも密接な關係がある。　すなはち、新撰字鏡巻一、肉部第四の「⿰月庸」に「奈太良加爾又曾比也加爾又萬利利加爾」同巻二、身部第十四の「⿰身少」に「細長之貌曾比也加爾又奈波也加爾」また、類聚名義抄に、「⿰身少」にソヒヤカニ・ナハヤカニ「嬋」にソヒヤカナリ・タヲヤカナリ「纖」にソヒヤカナリ・スクカナリ・ホソシなど見えてゐるのによれば、ソビヤグといふ語が、普通に、人體について、脊丈のすらつとして瘠形なるをさしていふに用ゐられると、その語義を一にしてゐる。いづれにしても、ソビヤク・ソビヤカニの「ヤ」が、共通の性質をもつてゐる成分であることは、いふまでもない。

第六、形成素 -RA-, -RO-

形成素 -RA-, -RO- もまた(A)(B)の二類にわけて考へられる。

(A) ira-ra-gu (苛), usu-ra-gu (薄), tura-ra-ku (列), hihi-ra-ku (疼・轟),
yaha-ra-gu (和), we-ra-gu (笑), toro-ro-gu, (盪) koro-ro-ku (嘶嘷)

(B) kata-ra-hu (語), saka-ra-hu (逆), mazi-ra-hu (交), o-ro-su (織),
utu-ro-hu (移)

まづ(A)類についてみるに、特に形成素 -RA- の語幹を形成してゐると思はれるものには、かなり問題となるものがある。すなはち、「いららぐ」(苛)・「つららく」(列)などの例だけについてみれば、この種の -RA- は、單に同音を重ねたもの、すなはち疊音に過ぎないやうに見られるけれども、他の類例をみれば、單なる同音の疊加とは考へられない。　イライラはイライラの省略で、ツララはツラツラの省略であると見る説もまた、他の類例には適用されない。　なるほど、イララといふ語は、新撰字鏡などを見ると、心のいらだつことや、人を刺す芒莿をもつてゐる草の名であることがわかる。　二三の例を擧げれば、天治本卷七、草部第七十、「苛」の條に「擾心怒也小卉也煩怨也疾也伊良」、「萩」の條に「萵蕭類也波支又伊良」、「莿」の條に「茱也卉木芒人刺伊良」などとある。　享和本には、「朿」に「木芒木乃伊良良」とあつて、イララの形も見えてゐるが、イラが語の基本成分であることは、イラダツ・イラツなどの例でも知られる。　ツララクについても、古事記中卷の仁德天皇の御製に「沖邊には小舟都羅々玖」の例があり、またツラツラの例としては、萬葉集卷一の「巨勢山之列列椿都良都良爾見つゝ思ふな巨勢の春野を」(四五)を擧げることが出來る。　この歌のツラツラニの上からの掛りは、椿の葉の艶やかに滑らかなるをいふのであり、ツラツラは滑らかなる義、すなはち後世のツルツルに該當する義であるといふ説があるにしても、この語の下への掛りは、連續して」もしくは「絕えずに」といふ義であるから、やはりツラ(連)の疊語であるとも見られるのである。しかし、ツラツラといふ例があり、それがツラ(連)の疊語であるからといつて、すぐにツラツラクのツララがその省略形であるとはいへない。按ふに、この種の -RA- は、ウスラグ(薄)・ヒヒラク(疼)・ヤハラグ(和)などのラと同じものであらう。また、ウスラヒ(薄氷)のラとも、ヤハラカ(和)のラとも交渉をもつものであらう。ヱラグ(笑)のラもまた同種のものと見られる。何となれば、ヱラグは、ヱム(笑)のヱにラのついたものと考へられるからである。類聚名義抄、佛中に「咲」をヱワラフとある。漢字の上からいへば「咲」は「笑」の古字といふことであるが、國語の上についてみれば、ワラフとヱワラフとの間には、意義の上に相異があるのであり、このヱワラフのヱは、ヱムのヱ、ヱラグのヱと同語なのである。ヱラグのヱラは、前にも述べたやうに、このヱにラがついて語幹となつたものであるが、萬葉集卷十九の長歌に「もののふの八十伴緒の、島上にあかる橘、うずにさし紐解きさけて、千年ほぎ祝ぎとよもし、惠良惠良爾仕へ奉るを見るが貴さ」とあるヱラヱラニも、このヱの疊語と見るべきのである。

右の -RA- は kutu-ro-gu (寛)などの場合にあつては、-RO- といふ形であらはれて來るが、神漏岐・神漏美・須賣呂伎・大君呂可聞などの -RO- もまたこの種のものであると考へられる。

古事記上巻に「宇士多加禮斗呂呂岐弖」とあるトロロギ、倭名類聚抄巻二疾病部病類「失聲」の條に「嘶咽古路々久」、類聚名義抄佛中に「嘶噎コロ、ク」とあるコロロク、また萬葉集巻十五に「石走る瀧も登杼呂爾」(三六一七)、新撰字鏡巻六、水部第六十六に「湯」に「水聲也佐女久止々呂久」とあるトドロニ・トドロのロの類も、やはりこの種類に屬する。

次に、(B)類のものを見るに、「かたらふ(語)・「さからふ(逆)・「まじらふ(交)の如きものは、それぞれ、カタル(語)・サカル(逆)・マジル(交)を本語としてゐて、それらの語尾 -RU- と語幹の形成素 -RA- とは相通ずる。「おろす(織)・「うつろふ(移)・「つくろふ(繕)の如きは、それぞれ、オル(織)・ウツル(移)・ツクル(作)が本語となつてゐるのであるが、他の多くの例によれば、語幹の形成素は -RA- である筈であるが、これらの場合では -RO- の形であるのを常とする。

第七、 形成素 -SA-, -SO-, -TA-, -TO-

以上の外、語幹を形成する形成素として、次のやうなものも、認められるべきものではあるまいか。

一、 -SA-, -SO- 四段活用の動詞のうちで、語幹が佐行の音節に終るものは、相當に多いのであるが、形成素としてとりあげて然るべしと思はれるものは少い。上に擧げて來た例を見るに、わたくしが語幹を形成するに用ゐられてゐる形成素と認めたものは、五十音圖中の六行にわたつてゐるが、佐行・多行・和行だけは、適例を見出し得ない。しかし、佐行については、次の例の如きものが、或は、形成素として考へられるのではあるまいか。

(A) nadu-sa-hu (漬・馴・泥), ara-so-hu (爭)

(B) o-sa-hu (押), kaku-sa-hu (隱), Kahe-sa-hu (返), tara-sa-su (誑), o-so-hu (襲)

右のうちで、「なづさふ」(漬・馴・泥)は、萬葉集巻十五に「にほ鳥の奈豆左比由氣婆」

（三六二七）同卷六に「みやびをの遊ぶを見むと莫津左比曾來し」（一〇一六）同卷十五に「いさりする海士のともし火沖に奈都佐布」（三六二四）「夕されば葦邊にさわぎ、あけ來れば沖に奈都佐布鴨すらも」（三六二五）などの例があつて、四段活用のものであることは明らかであるが、これは「なづむ」と關係がある。古事記中卷の倭建命の后たちの御歌に「許斯那豆牟」、萬葉集卷十九に「ふる雪を腰に奈都美氐參り來し」（四二三〇）などとあるのがそれで、類聚名義抄には「泥」をナツムと訓んでゐる。このナツがナツサフの基本成分であり、-SA- は形成素であらう。「あらそふ」（爭）は、形成素 -GA- の條に述べたやうに、アラガフと相對するものと考へられる。

(B) の類は、いづれも本語の語尾形成素が、語幹の形成素として現はれて來てゐる場合で、この種の形成素をもつた語幹が、さらに語尾 -HU- をとるものは、比較的多い。右に擧げたものの外に、「てらさふ」（照）「あまさふ」（餘）「かはさふ」（交）などもある。たゞし、この種の語幹から語尾 -SU- につゞくのは、異例である。こゝに擧げた「たらさす」は、わづかに、天治本新撰字鏡卷三、言部第三十の「謶」の旁訓にタラサスとあるに止まつてゐるから、確實性は薄い。しかし、かういふ意味をあらはすトラスといふ語が、少くとも平安朝初期にあつたことは疑はれない。類聚名義抄佛中には「媚」にヲヤス・トラシ・アサムクの訓がある。タラスはトラスと同語であらうが、トラスに對してはトラクがある。トラクは、新撰字鏡卷一、人部第十には「伬」に「疋視反平、別也分也醜面也、和加留又止良久」とあり、類聚名義抄には「散」をトラクと訓んでゐるので、その本義はわかる。(トラクが、下二段活用であることは、春日政治博士の「西大寺本金光明最勝王經の白點について」のうちに古訓點の例が見えてゐる。同論文五七頁以下參照)このトラクからトラカスといふ四段活用の動詞が出來てゐて、そのトラカスは「蕩」の意味に用ゐられ「蕩」字をトラカスと訓じてゐる古訓の例もある。(前掲論文參照) タラスといふ語はこのトラスと同系の語であり、タラカスといふ語もこれから出てゐるのであらうが、こゝで問題になつてゐるタラサスもタラスから出たものとみてよからう。

二、-TA-, -TO- この類の語片も、また、次のやうな場合には、たしかに形成素としてのはたらきをなしてゐるやうに思はれる。

(A) yoko-ta-hu (横), yoko-ta-ha-ru (横)

(B) a-ta-ru (當), i-da-su (出), o-to-ru (劣), o-to-su (落),
si-da-ru (垂), ha-ta-su (果)

(A)の「よこたふ」(横)の場合は、ヨコといふ基本成分に -TA- といふ形成素がついてゐるやうに見えるが、さういふ見方が妥當であるかどうかが問題であるが、この下二段活用の動詞を本語としてヨコタハルといふ語が派生してゐるのである。この -TA- は、次の(B)の場合を照すれば、形成素なのではあるまいか。

(B)の場合の例についてみるに、「あたる」(當)「いだす」(出)が、「あつ」(當)「いづ」(出)といふ、下二段活用の動詞から、派生したのであり、a-tu, i-du の語尾 -TU, -DU が派生語にあつては、語幹の形成素となつてゐるといふことは、肯はれるが、「おとる」(劣)、「おとす」(落)が、共に「おつ」(落)といふ上二段活用の動詞から派生したものであるかどうかは、輕々しく論定されない。 オトスの方はオツから派生したものであらうが、オトルの方は、オト(弟)と關係があつて、オト(弟)といふ名詞が -RU といふ語尾をとつて動詞になつたのではないかといふ說も出よう。 しかし、オトルといふ語は、單に優劣關係の意義を示すに止まらない。新撰字鏡卷十、貝部第百二「費」の條に「亡失也減少也於止禮利又加支留」とあり、類聚名義抄には「減」にオトルの訓があつて、オトルが必ずしもオト(弟)と直接の關係があるものでないことがわかる。むしろ、オトルとオトスとは、語尾 -RU と -SU とによつて分化したものであつて、その語幹のオトは、オツ(落)から派生したものと見る方がよいやうに思はれる。

「しだる」(垂)といふ語は、下二段活用の「しづ」(垂)から派生したものと見るのが普通であるが、シヅは、神樂歌に、「木綿取り志天天」などとあるが、シヅの語源は明らかでない。もしシヅから派生したとすれば、si-du の語尾 -DU が si-da-ru となつたと見られる。しかし、この語は、或は、萬葉集卷三に「東の市の殖木の木足まで」(三一〇)、同卷十四に「薪こる鎌倉山の許太流木を」(三四三三)などとあるコダルと同類の語で、シダルは、タル(垂)が本義を示す部分で、si- は接頭辭もしくは、他の附加成分ではなからうかとも思はれるから、しばらく疑を存しておく。

「はたす」(果)は「はつ」(果)といふ下二段活用の動詞からの派生語と見られる。

右のやうな -TA-, -TO- の他に、i-tu-ku (齋)・una-du-ku(頷) のやうな -TU-, -DU- も、またこの類であるかに見られるが、これらは、たとへば、「いつく」は i-tuku「うなづく」は una-duku であり、さらに、その tuku は tu と ku とに、その duku は du と ku とに分解されるべきものであらう。 要するに、これらは、名詞と動詞との複合によつて出來たものと見るべきものである。

昭和十三年三月二十日印刷
昭和十三年三月三十一日發行

言語と文學（第一輯）

編輯兼發行者　臺北帝國大學文政學部

印刷者　東京市蒲田區仲六郷一丁目五番地
株式會社　三省堂蒲田工場
代表者　喜多見　昇

發賣所　臺北市明石町二丁目六番地
東都書籍株式會社臺北支店
電話臺北四一二六番
振替口座臺灣五七五八番

臺北帝國大學文政學部

文學科研究年報

言語と文學

第二輯

話本小説論

原田季清

目次

附表目次

前言

話本小說の研究は日支を通じて極めて近年に勃興したものではあるが、東西南北四京及び滬上の先輩諸大家の功により、其の文獻的考證の部門は既に大いに備はれる觀を呈するに至つた。　從つて本論文に於ては文獻解說は一切省略し、專ら通俗文學の一體としての話本小說の作品內容を卑見を以て系統的に分析解剖し、各種の斷面に於ける其の形相を明かにして、作品の發展過程を究め、文學的價值の存する所を指摘し、兼て文學史上に於ける意義と地位とを闡明して、其の我等に示唆する所のものを捕捉することを目的とした。　併しながら歷代話本集の今に存すると云はれるものは約六十種に達し、其の內容篇數は各書に重複せるものを除き約四百五十種の多きに上つてゐる。　本文に於ては其の中で僅かに現在通行の話本集約十五種、正味話本篇數約二百八十種の材料を基礎として、敢て話本小說の通論を試みたのであつて、認識の不足や觀察の不當は或は免れ難いと思ふ。名實兼備の話本小說論の完成は之を將來に俟つ外なく、謹んで大方博學の士の御指教を乞ふ次第である。若し本文が新興小說學の第二期建設工作に於て部分的方法論的に不十分ながら先賢の驥尾に附し、將來に拋磚引玉の役目を務めることが出來たならば、筆者望外の喜びである。

第一章　話本小說序論

最初に筆者が茲に謂ふ話本小說の定義と範疇とを明かにして置きたい。通常、話本とか話本集とか呼ばれるものゝ範圍は相當廣汎な樣であるが、茲には假りに宋・元・明・清四代に亙つて行はれた言文一致體の短篇小說で、大部分は一回讀切の短篇を幾篇か集めて短篇小說集の形で今日に傳へられたものを指して便宜上話本小說と呼ぶことゝした。從つて五代史平話や大唐三藏取經詩話の類の話本や、包公案の樣に文體、篇幅共に他の話本集と著しく異なるものは之を除き、又話本集中に混入せる文言小說も除外した。故に話本の語源とは必ずしも一致せず、單に白話短篇小說と云ふのと同樣の意味である。

さて話本小說の創作は宋代に始まり清代乾隆頃に終焉を告げる迄、其の間少くとも六百年以上の歷史を有してゐたものと考へられる。其の中、三言の現はれる迄約五百年間のものは說話の話本として民間文學本來の意義を有してゐたのに對して、それ以後の作は文人の創作に成る所謂擬話本であつて、文學史眼より觀れば、兩者の間に恰も唐詩と宋以後の詩、宋詞と元以の詞等に類する差異を認めることが出來るが、單に小說として觀れば、新舊の別かあるのみで、其の優劣は自ら別問題である。

次に小說史上に於ける話本小說の地位と其の盛衰の經緯とを一考したい。筆者は話本創作の歷史と文言小說乃至白話長篇小說消長の迹とを對照觀察した結果、話本小說が演じた小說史上の役割は大體に於て第一表に示した樣な狀態ではなかつたかと思ふ。之は勿論本論文の結論の一つであるが、問題は小說史全般に關することでもあり、一々例證によつて論述するのも煩はしいから、卷頭に結論のみを揭けて、以後の記述の便を圖つた次第である。(第四章參照)尙此の表は作品要素を中心とした觀察であつて、說話の內容等に重きを置いたものではない。分類の細目は大體諸家の用語を用ひ、愚見を以て取捨したものであるが、白話短篇小說の分類は筆者一家の見で、之に就ては第二章に於て詳說する豫定である。表中明代短篇の說公案中には前に規定した所と異なり、包公案中の諸作の如きものも含むと解して差支へないのである。宋元長篇の講史、靈怪の類は矢張り民間話本の一體であり、此の系統の長篇小說は明清二朝を經て現代に至る迄、尙說書の一派たる評話として民間に命脈を保つて居り、短篇小說體の話本に比し遙かに長い生命を有し、大衆的支持を受けてゐるのである。變文俗文と歷代正史及野史とは斷る迄もなく小說以外の分野のものである。又點線を以て結んだものは連絡の密ならざるものである。

此の表は大體の趨勢を簡單に圖解した迄であつて、實際は斯樣に單純に進んだ譯ではないが、筆者の云はんとする所は、唐五代の變文俗文に用ひられた白話體を基礎とし、唐代傳奇とも一脈相通ずる各種の大衆文學的要素を題材として、宋元の民間話本が生れ、明末に至つて各種の文人話本に變形すると共に、題材の方面より長篇小說に幾多の刺戟を與へて話本小說の全盛期を終り、清代に入つてからは話本の內容が漸次長篇小說と文言小說とに解體流入して、遂に死滅するに至つたと云ふ點である。

第一表 小說源流表

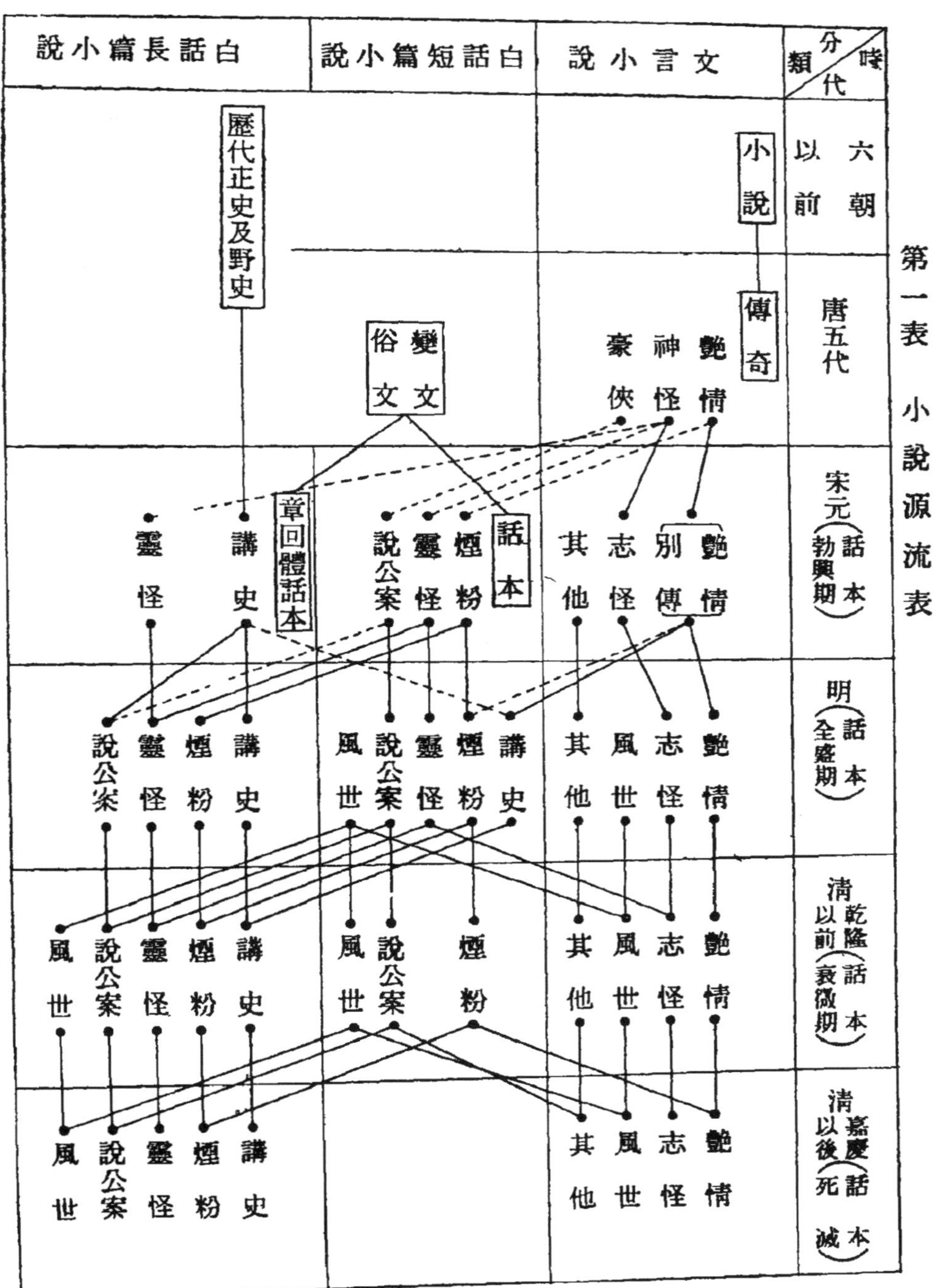

時代
分類
白話長篇小說
白話短篇小說
文言小說
六朝以前
唐五代
宋元(話本勃興期)
明(話本全盛期)
清乾隆以前(話本衰微期)
清嘉慶以後(話本死滅)
歷代正史及野史
小說
傳奇
變文
俗文
艷情
神怪
豪俠
章回體話本
話本
靈怪
講史
說公案
煙粉
其他
志怪
別傳
艷情
風世

話本發生の原因は民間韻文文學の發達に伴ふ民間散文文學の誕生として見る時、其の說明は極めて容易である。　話本の衰微死滅の原因に就ては、話本文學の文人化、古典化、明淸間の動亂による話本の散佚と、それが爲作者讀者共に話本に對する關心の薄弱化したこと及び淸朝の政策による小說斷壓等が通常考へられてゐるが、前述の長篇章回小說の發達も有力な一因と思はれる。更に根本的な問題として、文人話本の發生に先んずる民間話本の衰頽の原因に關しては、變文俗文の流を汲む彈詞鼓詞等の民間唱詞が說書の一派として明代以後に大きな勢力を持つに至つた爲、話本は之に吸收され又は壓倒されたのではないかと考へられる。　蓋し頽勢にある民間散文文學の勢力は、音樂と聯合した新興民間韻文文學の廣汎な藝術性に比し、感情的感銘の點に於て及ぶべくもないからである。　尚甚だ卑近な例であるが、我が國の講談が浪花節に壓倒せられ、落語が俗謠入萬歲に壓倒されて、新大衆小說や漫談の類の文人文學に變形せんとしてゐる經路等は話本文學の盛衰と好き對照をなすものである。

話本小說論

話本小說の作家及び刊本に就ては既に諸家の著述にも多く見えてゐることであるから玆には省略することゝしやう。

第二章　話本小説の分類

話本小説の通論を行ふ爲には、年代別及び作家別以外に便宜上何等かの方法によつて更に作品の組織的分類を試みる必要がある。分類に先だち本論文に於て論及する話本集と話本篇數とを第二表に掲げる。

第二表　本文中論及話本集總目

本文所用略符	書名	篇數	本文中除外セル篇數			正味篇數
			文言小説	他書ト重複セルモノ	筆者未見	
㊍京	京本通俗小説	八				八
㊍清	清平山堂話本	一五	二			一三
㊍雨	雨窗欹枕集	一二				一二
㊍通	警世通言	四〇	二	八	一	二九

㊀恒	醒世恆言	四〇	一	二		三七
㊀拍	拍案驚奇	三六				三六
㊀觀	今古奇觀	四〇		二九		一一
㊀石	石點頭	一四				一四
㊀西	西湖二集	三四				三四
㊀醉	醉醒石	一五				一五
㊀貪	貪歡報	二四			一	二三
㊀樓	十二樓	一二				一二
㊀豆	豆棚間話	一二				一二
㊀照	照世盃	四				四
㊀聞	今古奇聞	二二	二	五		一五
	計	三二八	七	四四	二	二七五

右の如く資料は頗る貧弱であるが、歷代話本作品の輪廓は之によつて略〻窺ひ得ると信じる。尙表中の文言小說と筆者未見のものとの篇名は第六表に附載した通りである。(第六表參照)

さて右の各書に現はれた話本作品の內容を檢討すると、其の多種多樣なることは驚くべきものがあり、之を分類するに當つて如何なる標準を採るべきかは極めて重大な問題である。分類の標準に就ては色々なものが考へられるが、話本小說の特性に則して最も穩當な分類法としては次の三種を擧げることが出來る。第一は作品內に取扱はれた題材、卽ち物語の種類を標準として類別する方法であつて、第二は創作の目的乃至目標或は作者の創作態度を基準として考へる方法であり、第三は筋書の構成法卽ち趣考及び物語敍述の技巧の如何を中心として考へる方法である。

右の三者には夫々一長一短がある。第一の方法は陳腐な考へながら極めて常識的でもあり、機械的に簡明な分類を行ふに適してゐるが、一面單なる敍事敍情以外の複雜な內容を有する作品を取扱ふ場合には頗る物足りない感を免れない。第二の場合は標準其のものか抽象的、主觀的である爲第一の如く簡單には行かないが、作意の明瞭な作に對しては最も適した方法である。併し作者の意のある所を握み難い作とか、作者の主觀を重んじない樣な作は悉く標準以下に落ちて識別することが出來なくなる。第三の場合は前二者とは餘程異つた立場から觀る方法で、構想、敍法に理智的技巧を凝らした話本作品を檢討するには必須の基準てあるが、理智的興味を加味しない作は總て標準以外に逸することゝなる。

結局右三者の一のみを以て滿足すべき話本小說の分類を行ふことは不可能である。三者を併せ考へる必要がある。即ち三種の標準による三通りの分類を行ふか、三標準を三次元的に組立てた精密な分類法を採るか、或は其の間に常識的な取捨選擇を施した折衷的な分類法によるかの外はないのてある。筆者は今煩を避ける爲此の折衷的な分類法によつて話本小說の類別を行ふことゝする。併し此の分類法は要するに筆者個人の主觀を基礎とした折衷案であつて、到底客觀的な正確さを期することは出來ないが、論述の便宜上已むを得ないことである。

筆者は先づ話本小説の主要素となつてゐるものを各種の標準から摘出して、後出の第五表に掲げた幻想小説より俠義小説に至る十五綱目を設け、其の數目宛を總括して、靈怪、煙粉、講史、風世、說公案の五大類とした。(第五表參照)此の五類の名稱は旣に孫楷第氏の明淸長篇小說の目錄に使用されてゐるものを踏襲したのであつて、頗る古風な用語であるが、筆者の用法は必ずしも孫氏の用法と完全に一致するものではなく、多少の出入があり、順序も異つてゐる。此の點は第三章、第四章にも詳述するが、蓋し話本小說と長篇小說との差異、分類目的及び主觀の相違等による當然の結果である。

今、此の五大類の性質に就て簡單に說明を加へると、靈怪、煙粉、講史の三類は主として前述の第一の標準たる題材の差異による機械的な分類に屬し、風世類に收めたものは大體に於て第二の場合の作者の態度を基準として考へた分類であつて、題材から云へば其の中に靈怪、煙粉、講史等の諸要素も皆包含せられてゐる譯であり、必ずしも社會其のものを題材とし、社會批判のみを唯一の創作目的としたものとは限らないのである。說公案類に屬するものは題材から云へば犯罪又は裁判を取扱つたものが多いが、筆者の分類の基準となつてゐるのは寧ろ前述第三の場合の構想と技巧上の興味とであつて、人間の奸智、奇計のよく發揮せられて、興味ある事件を構成するのは犯罪、裁判に多い爲、之が中心となつた觀を呈しただけで、其の他の題材を用ひたものでも技巧の優れたものは此の類に屬するし、俠義小說等には餘り技巧上の興味のないものもあるが、習慣上此の部類に包括したのである。從つて說公案と云ふ名稱は此の場合多少當らない點もあるが、强ひて異を立てるのを避けて舊稱に從つた譯である。

右の樣な次第で、此の五大類の分類は各〻異つた標準の上に立つてゐるのであるから、之を一線に並列して作品を分類するのは根本的に間違つてゐるのである。例へば說公案類の作品の中にも靈怪、煙粉、風世の各要素があり、風世類の作にも說公案、煙粉等の性質を含み、煙粉類の作にも靈怪、風世、說公案等の特質が見受けられると云ふ樣な狀態であつて、到底前後の矛盾撞着を免れ難いのである。 そこで筆者は比較的創作態度を重視すべき作と思はれるものを風世類に收め、構想技巧上の興味の多いと見られる作を說公案類に收め、其の他各種の作を他の三類に配當して、一通りの分類を行つたのである。 從つて此の分類が決して絕對的客觀的に正確なものでないことは云ふ迄もない。

細かい分類に移る前に先づ五大類のみによつて、玆に取扱はうとする十五種の話本集の作風の趨勢を窺ふ爲、第三表の如く話本篇數による分類を試みた。 數字に圈を施したものは其の書の重心の所在を示したのである。（第三表及び次の第四表に現はれた數字は一見第一表と多少矛盾する所がある樣であるが、第一表は全體的に作品要素の有無消長を示すものであり、第三表第四表は三標準論に本づく分類によつて得た數字を記載して作風の推移を示したものであつて、兩者は多少意義を異にするものである。）

十五種の書中には後世の編者が前代の作を集めたものと撰者自編のものとがあり、兩者の性質は稍〻異なるが、大體此の表によつて時代と編者又は撰者とによる嗜好、作風の推移を知ることが出來る。 卽ち初期のものにあつては

第三表　各書別話本分類表（各書に重複せるものをも數ふ）

書名／分類	靈怪	煙粉	講史	風世	說公案	附 文言	筆者未見	計
京	③	1	1	1	2			8
清	⑤	2		3	3	2		15
雨	⑤	1	2	2	2			12
通	9	6	1	⑫	9	2	1	40
恒	12	2	1	8	⑯	1		40
拍	4	5	1	12	⑭			36
觀	1	4	1	⑱	16			40
石		1		⑫	1			14
西	7	4	⑩	⑩	3			34
醉			1	⑫	2			15
貪		3		7	⑬		1	24
樓				⑨	3			12
豆			3	⑨				12
照				②	②			4
聞		1	1	⑭	4	2		22

靈怪類が中心を占めてゐたのが、通言、恆言、初拍の頃に至つて風世、說公案の二類が大體相半して中心を占め、以後のものに至つては概ね風世類を樞軸とし

て居り、中には風世、說公案以外の三類を全く、缺如したものさへ現はれたのである。今第三表を改編して第四表の如く創作年代別に配列すると、作風の趨勢は更に明白となる。話本の創作年代は不明瞭のものも少くないが、大體諸家の說を參照し多少愚見を加へたものもある。表中「年代不詳」に屬するもの

第四表　創作年代別話本分類表（文言、各書重複、筆者未見のものを除く）

分類＼年代	宋元（或？）	年代不詳	明（三言以前）（或？）	明（初拍以後）	清	計
靈怪	一四	六	一一	一一		四二
煙粉	四	一	七	一三	一	二六
講史	一	二	一	一二	四	二〇
風世	三		二四	五三	三一	一一一
說公案	一二	三	一七	三七	七	七六
計	三四	一二	六〇	一二六	四三	二七五

は宋元又は明の中、三言以前のものである。清代に屬するものは十二樓以下の四書のみで、貪歡報以前の書は總て明代に收めた。

此の表を見ると宋元及び年代不詳の作品は共に靈怪類最も多く說公案之に次ぎ、明代のものは前後を通じて風世第一位、說公案第二位にあり、他の三類も若干宛存してゐるが、清代のものは風世のみが大部を占め、他種の作は極めて乏しいと云ふことが判る。換言すれば民間話本時代には大衆向きな幻想小說と理智的作品とが重んぜられてゐたのに對して、文人の創作に歸してからは理性的な創作意識と理智的興味とが重視されるに至り、時代と共に風世一點強りに傾いて動脈硬化を來し死滅したと云ふ譯である。話本の文人化は話本を復興させる力もあつたが、同時に話本を滅ぼす一原因ともなつたのである。筆者の用ひた資料が乏しい爲、右の二表は統計としては不備缺陷はあらうが、大體の傾向としてかう云ふ風であつたと考へても差支へない樣である。

全局的觀察は此の位に止め、次に分類の細目に移らう。前にも述べた如く、筆者の行つた話本小說の分類は十五綱目を五大類に總括したのであつて、五大類から各小目を導き出したのではないから、兩者の連絡は必ずしも緊密ではない。又十五綱目も區々の標準によつて定めた名目であつて、分類上精密を缺く場合が少くないから、必要なものには更に數項の細目を設け、話本小說の特性を最も簡明且つ完全に表現し得る樣努めたものが第五表である。十五種の書に含まれる話本二百七十五種を之に配當すれば其の割合は括弧內の通りである。

第五表　話本分類表（話本集十五種、話本二百七十五種）

一、靈怪類(四十二種)
①幻想小說(二十八種)
1、大衆的幻想小說(十九種)
2、風世的幻想小說(九種)
②道佛小說(十四種)
1、佛理小說(四種)

2、神仙小說（十種）

二、煙粉類（二十六種）

③艷情小說（二十六種）

1、幻想的艷情小說（六種）

2、風世的艷情小說（七種）

3、一般艷情小說（十三種）

三、講史類（二十種）

④歷史小說（二十種）

四、風世類（百十一種）

⑤理想小說（三十六種）

1、幻想的理想小說（六種）

2、一般理想小說（三十種）

⑥鑒戒小說（十五種）

1、幻想的鑒戒小說（九種）

2、一般鑒戒小說(六種)

⑦諷刺小說(十七種)

1、一般諷刺小說(十三種)

2、諧謔小說(四種)

⑧說理小說(十七種)

1、幻想的說理小說(四種)

2、一般說理小說(十三種)

⑨問題小說(二十六種)

五、說公案類(七十六種)

⑩犯罪小說(三十種)

1、一般犯罪小說(二十二種)

2、美人局小說(八種)

⑪裁判小說(五種)

⑫探偵小說(八種)

⑬復讐小說(七種)
⑭謀計小說(十八種)
1、一般謀計小說(十六種)
2、機智小說(二種)
⑮俠義小說(八種)

附、文言小說(七種)
筆者未見(二種)

此の分類に於ける用語の意義に就ては次章に於て詳説する筈であるが、二三まぎらはしいものに就て斷つて置きたい。

道佛小說と名づけたものは實は佛理小說と神仙小說とより成り、道佛混用の作は少い。幻想小說と道佛小說とは題材上二分したが、其の幻想的なることには變りがないから、二者を併せて廣義の幻想小說とも云ふことが出來る理想小說と鑑戒小說とは多くは俗に所謂勸善懲惡小說の類であるが、語弊を避ける爲に名稱を變更し、且つ實際に於ては善惡相表裏するものもあるが、大體創作目標の方向によつて二種に分つたのである。 理想と云つてもユートピア式のものを指す譯ではない。 說理小說とは一つの人生觀の表現を目標とした小說で、就中運命論的な作が多く、運命論小說と名づけてもよい位である。 問題小說とは所謂テーマ小說のことで、話本作品にあつては一見理想小說又は鑑戒小說の體裁を具へたもので、事實上問題小說を構成してゐるものが少くないのである。 理想小說から問題小說迄の五種類のものは廣義の勸戒小說と呼んでも差支へない。

犯罪小說、裁判小說、探偵小說三種の區別などは全く壁一重で、筆者の主觀により犯罪事件の構想の優れたもの、裁判方法の巧妙なもの、探偵過程の興味あるものによつて三分したに過ぎない。 話本小說の中で嚴格な意味の犯罪小說と探偵小說との區別を喧しく云ふ譯ではない。 謀計小說の謀計とは今日の探偵小說に用ひられるトリックのことで、謀計小說とは犯罪、探偵等に亙らずして、謀計のみの表はれた作品を云ふのである。 犯罪小説から俠義小説迄の六種類は常識的に廣義の探偵小説と見ても大した誤りはないのである。
又風世的幻想小説と風世類中の幻想的作品との別、風世的艷情小説と風世類との別なども皆絶對的なものではない 一篇の作品で見方によつては、艷情小説でもあり、問題小説でもあり、犯罪小説でもあり、復讐小説でもあると云ふ樣な複雜なものも決して少くないのであつて、第五表の話本分類は飽く迄論述の爲の便宜上の手段に過ぎないのである。

第五表に基づき年代別に話本小説の分類を行つたのが第六表である。 話本の篇名は最初の三四字を以て代表せしめ、卷番號又は回番號を其の上に記し、書名は前記の略符を用ひた。 固より此の表は評論の爲の分類であるから目錄の爲の目錄とは多少性質も異なるものである。

第六表　話本分類目（話本集十五種、話本二百七十五種）

宋元（或？）	年代不詳	明（三言以前）（或？）	明（初拍以後）	清

一、靈怪類

①幻想小説

1、大衆的幻想小説

(京)10 碾玉觀音
12 西山一窟鬼
(淸)西湖三塔記
洛陽三怪記
陳巡檢
(通)19 崔衙內
27 假神仙
36 皂角林
39 福祿壽
(恒)6 小水灣

(市)夔關

(通)28 白娘子
(恒)25 獨孤生
32 黃秀才

(拍)24 鹽官邑
(西)14 邢君瑞
21 假隣女
22 宿宮嬪

31鄭節使

2、風世的幻想小說

(京)13志誠張主管

(雨)霅川

(恒)14灌園叟

26薛錄事

(雨)李元

(恒)5大樹坡

(拍)5感神明

(西)23救金鯉

24認回祿

②道佛小說

1、佛理小說

(清)五戒禪師

(雨)花燈轎

(恒)12佛印師

(拍)28金光洞主

2、神仙小說

(京)董永遇仙傳	(恒)28李道人			
(清)張子房	(通)40旌陽宮	(恒)21呂洞賓	37杜子春	40馬當神
(拍)7唐明皇	(西)25吳山頂上	30馬神仙		

二、煙粉類

③艷情小説

1、幻想的艷情小説

(通)30金明池			
(拍)9宣徽院	23大姊魂游	(石)9玉簫女	(西)11寄梅花

27洒雪堂

2、風世的艷情小說

(京)16馮玉梅團圓	(雨)戒指兒記
(觀)32金玉奴	(通)32杜十娘	34王嬌鸞
(拍)29通閨闥	(西)28天台匠

3、一般艷情小說

(清)風月瑞仙亭			
(恒)28吳衙內			
(清)柳耆卿	(通)23樂小舍	34玉堂春	(恒)3賣油郎
(拍)25趙司戶	34聞人生	(西)12吹鳳簫	(貪)11許玄之
(聞)10梅嶼恨蹟			

15 馬玉貞 22 黃煥之	

三、講史類

④歷史小說

(京)	21 金虜海陵王（一云明代作）
(雨)	老馮唐 漢李廣
(通)	9 李謫仙
(拍)	31 何道士
(西)	1 吳越王 2 宋高宗 7 覺闍黎 8 壽禪師 17 劉伯溫 18 商文毅 26 會稽道中
(豆)	1 介之推 2 范少伯 7 首陽山
(聞)	16 李福達

(醉) 31 忠存萃一門
32 薰蕕不同器
34 胡少保
12 狂和尚

四、風世類

⑤理想小說

1、幻想的理想小說

(雨) 羊角哀死生交
(西) 6 姚伯子
29 祖統制
(豆) 11 黨都司
(聞) 8 張貞婦

2、一般理想小說

(清) 陰隲積善
(拍) 20 李克讓
(樓) 11 生我樓

(觀) 11 呉保安	13 沈小霞	(通) 1 兪伯牙	5 呂大郎	31 趙春兒	(恒) 1 兩縣令	9 陳多壽	10 劉小官	18 施潤澤	35 徐老僕
21 袁尙寶	27 顧阿秀	(西) 10 徐君寶	19 俠女散財	(醉) 1 救窮途	2 恃孤忠	4 秉松筠	5 矢熱血	10 濟窮途	(貪) 18 王有道
(豆) 4 藩伯子	5 小乞兒	(聞) 4 呉保安	7 曾公子	9 康友仁	19 曹孝子	21 窮秀才			

⑥鑒戒小説

1、幻想的鑒戒小説

- (通)25 桂員外
- (拍)14 酒謀財
- (石)8 貪婪漢
- (西)5 李鳳娘
- (醉)6 高才生
- 13 穆瓊姐
- (貪)17 孔良宗
- (闘)11 謀葬地
- 13 胡君忘恩

2、一般鑑戒小說

- (清)刎頸鴛鴦會
- (觀)23 蔣興哥
- (恒)29 盧太學
- (醉)15 王錦衣
- (豆)9 漁陽道
- (闘)5 脫網羅

⑦諷刺小說

1、一般諷刺小說

1	㊟清 快嘴李翠蓮記
2	
3	㊟通 2 荘子休
4	㊟拍 22 錢多處 / ㊟石 7 感恩鬼 / ㊟西 4 愚郡守 / 20 巧妓佐夫 / ㊟醉 7 失燕翼 / 11 維內維貨 / 14 等不得 / ㊟貪 6 伴花樓
5	㊟樓 7 拂雲樓 / ㊟豆 6 大和尚 / 10 虎丘山

2、諧謔小説

1	
2	
3	㊟恒 7 錢秀才
4	㊟醉 8 假虎威
5	㊟照 3 走安南 / 4 掘新坑

⑧說理小說

1、幻想的說理小說

1	
2	
3	
4	(拍)30 王大使 (西)15 文昌司 16 月下老 (貪)2 吳千里
5	

2、一般說理小說

1	(京)14 拗相公
2	
3	(通)3 王安石 6 俞仲擧 17 鈍秀才 18 老門生
4	(拍)1 轉運漢 3 劉東山 12 陶家翁 35 訴窮漢 (西)3 巧書生
5	(樓)8 十香樓 (豆)3 朝奉郎 12 陳齋長

⑨問題小説

(通)35 况太守
(恒)19 白玉孃

(拍)13 趙六老
17 西山觀
(石)1 郭挺之
2 盧夢仙
3 王本立
4 瞿鳳奴
5 莽書生
6 乞丐婦
10 王孺人
11 江都市
13 唐玄宗
14 潘文子

(樓)1 合影樓
2 奪錦樓
5 歸正樓
6 萃雅樓
9 鶴歸樓
10 奉先樓
(豆)8 空青石
(聞)15 封氏女
20 唐淑女

(貪)3	7	8
李月仙	陳之美	鐵念三

五、說公案類

⑩犯罪小說

1、一般犯罪小說

(京)11	15	(清)	(雨)		(通)13
菩薩蠻	錯斬崔寧	簡帖和尚	曹伯明	錯認屍	三現身

(恒)34
一文錢

(觀)24	(恒)16	27
陳御史	陸五漢	李玉英

(拍)11	36	(西)13	(醉)3	9	(貪)1
惡船家	東廊僧	張採蓮	假淑女	逞小忿	花二娘

20 計押番

(恒) 14 鬧樊樓

4 香桊根

5 日宜園

12 禁玉奴

19 木知日

5、美人局小説

(拍) 16 張溜兒

18 丹客半黍

(觀) 38 趙縣君

(貪) 9 汪監生

10 乖二官

20 楊玉京

(照) 2 百和坊

- 23 夢生花

⑪ 裁判小說

- (淸) 合同文字記
- (觀) 3 滕大尹
- (拍) 10 韓秀才
- 33 張員外
- (聞) 17 能吏

⑫ 探偵小說

- (恒) 13 勘皮靴
- (通) 15 金令史
- (恒) 15 赫大卿
- 39 汪大尹
- (拍) 2 姚滴珠
- 26 奪風情
- (西) 33 周城隍
- (貪) 14 一宵緣

⑬ 復讐小說

- (通) 11 蘇知縣
- (拍) 6 酒下酒

(恒)20 張廷秀	36 蔡瑞虹
19 李公佐	(石)12 侯官縣	(貪)21 朱公子

⑭ 謀計小説

1、一般謀計小説

(恒)17 張孝基				
(恒)8 喬太守				
(通)22 宋小官	26 唐解元	(恒)2 三孝廉	22 張淑兒	
(拍)15 衛朝奉	32 喬兌換	(觀)30 念親恩	33 女秀才	(貪)13 兩房妻
(樓)3 三與樓	4 夏宜樓	12 聞過樓	(照)1 七松園	(聞)3 許武

2、機智小説

(恒)11	蘇小妹
(觀)36	十三郎

⑮俠義小說

(清)揚溫攔路虎傳			
(觀)4 裴晋公	(通)21 趙太祖	(恒)30 李汧公	
(拍)4 程元玉	8 烏將軍	(西)9 韓晋公	(貪)16 費人龍

附、文言小說

(清)藍橋記	(通)10 錢舍人
(恒)24 隋煬帝	
(清)風月相思	(通)29 宿香亭
(聞)14 劉嬬妹	22 林蘂香

筆者未見

㊂37萬秀娘			㊁24一枝梅

右の表の中二種の書に重複せる作は其の年代の古いものを掲げた。但し今古奇觀と標示したものは實は古今小說、二刻拍案驚奇等に、今古奇聞と記したものは實に悞目醒心編と西湖佳話とに各〻原作がある譯であるが、煩を避け一一標示しなかつた。話本集中の文言小說としては附載の七篇を摘出したのみで、其の他にも古い作等で文言に近い雅俗混用體のものも多少あるが、それ等は先づ話本と認めることゝした。又體製から見て快嘴李翠蓮記は民間唱詞の類であり、通言の旌陽宮篇は原書にあつては章回小說であり、何れも話本の體には合致しないが除外するにも及ばぬ爲其の儘にした。筆者未見のものは偶〻筆者の見た本に缺けてゐたものである。(貪歡報は古刊本、通行本併用)

第三章　話本小說通論

第一節　概觀

本章に於ては前章で行つた分類に基づき、話本小說本質論を行はんとするものであるが、古い時代の民間話本は今日に傳はつてゐる數も少く、創作年代も茫漠とした限界を指摘し得るに止まるものが多く、之を後世文人の創作と同一標準で律するのは、本質的に若干不穩當な點もあるが、玆には必ずしも民間話本、文人話本の別に拘泥しないことゝした。

話本分類に於ける五大類の性質に就ては前章に於ても縷述した通りであるが、今一度言を換へて之を說明すれば、靈怪類とは空想を、煙粉類とは言情を夫々作品の基礎又は主要素としたと見られるものであり、風世類とは立意の比較的重んぜられてゐる作、說公案類とは智略の敍述を重要な要素としたものであると云つてもよいのである。唯、講史類のみは最初は記事を主としたものが、文人の、作に至つて大いに立意を尙ぶ樣になつたものと見られる。之を假りに人間の一生の嗜好と照らし合せると、空想を愛するのは少年期の通例であり、智略を喜ぶのは少年期より靑壯年期に跨がり、言情を好むのは靑壯年期に多く、立意を尙ぶのは壯老年期の常ではないかと思ふ。前章に述べた宋元明淸四朝に於ける話本作風の趨勢は恰も此の少年期より老年期に至る人間一生の嗜好の變遷に類するものがある。勿論小說の作者及び讀者は何れの時代でも少年のみとも限らず、老年のみとも限らないが、文學史上に於ける時代の風氣には自ら少壯老大の別のあることは話本小說に限らず、他種の文學に於ても認め得る所である。即ち話本小說は唐五代に懷胎され、宋代に誕生し、淸代に老衰して、其の變轉に富んだ一生を終つたのである。其の過程が我等に敎へる所は實に大なるものがある。

從來話本小說なる概念は幸か不幸か今古奇觀の一書により甚しく曲解せられ、或は敎訓書の別體なるかの如く、或は反人情小說なるかの如く、或は低俗大衆小說の代名詞なるかの如く考へられ勝ちであつた。そこで、今事新しく此の書の功罪を數へる迄もないが、先づ奇觀に見えてゐる作品に一通り觸れて見て、其の寃を雪いで置きたい。

今古奇觀所載の作品の出處たる三言兩拍は云ふ迄もなく明末話本復興運動の前驅であり、同時に話本作品の最高峯でもあるが、必ずしも珠玉の名篇のみより成る譯ではない。奇觀に選刻せられたものは其の中で事の奇にして、風世の意に富み、俗耳に入り易いもののみで、文辭も多くは改删せられて、篇幅も小となり、原書の精彩を失つてゐる。即ち作品の優劣よりも風意の多少と讀者層の廣狹とを以て採否を決した形跡が多く、三言兩拍の眞面目は著しく歪曲せられたのである。今、奇觀の作品を第五表の順序に配列すれば第七表の通りとなる。

第七表　今古奇觀作品分類表

一、靈怪類

①幻想小說 1、大衆的幻想小說(缺)
　　　　　2、風世的幻想小說——8 灌園叟

②道佛小說 1、佛理小說(缺)
　　　　　2、神仙小說(缺)

二煙粉類

③艷情小說 1、幻想的艷情小說(缺)
　　　　　2、風世的艷情小說——22 金玉奴 5 杜十娘 35 王嬌鸞
　　　　　3、一般艷情小說——7 賣油郎

三、講史類

④歷史小說——6 李謫仙

四、風世類

⑤理想小說 1、幻想的理想小說——12 羊角哀
　　　　　2、一般理想小說——11 吳保安 13 沈小霞 19 兪伯牙 31 呂大郎
　　　　　　　　　　　　　2 兩縣令 25 徐老僕 18 劉元普 37 崔俊臣

⑥鑒戒小說 1、幻想的鑒戒小說(缺)
2、一般鑒戒小說——23蔣興哥 15盧太學

⑦諷刺小說 1、一般諷刺小說——20莊子休 40逞多財
2、諧謔小說——27錢秀才

⑧說理小說 1、幻想的說理小說(缺)
2、一般說理小說——22鈍秀才 21老門生 9轉運漢 10看財奴

⑨問題小說(缺)

五、說公案類

⑩犯罪小說 1、一般犯罪小說——24陳御史 29懷私怨
2、美人局小說——39誇妙術 38趙縣君

⑪裁判小說——3滕大尹

⑫探偵小說(缺)

⑬復讐小說——26蔡小姐

⑭謀計小說 1、一般謀計小說——28喬太守 14宋金郎 34唐解元 1三孝廉

30念親恩33女秀才

2、機智小説――――――――17蘇小妹36十三郎

⑮俠義小説――――――――4裴晋公16李汧公

此の中で特に指摘すべき風意のないものは賣油郎、李謫仙、唐解元、女秀才、蘇小妹、十三郎の諸篇位であり、風意の不鮮明なものは灌園叟、陳御史、懐私怨、誇妙術、趙縣君、滕大尹、喬太守等の各篇に止まり、其の他の作は風世類に屬するか、又は風世的要素をかなり織込んだものが多い。

又事の奇と云ふ方面から見ると、鈍秀才、老門生、轉運漢、看財奴等の運命論的作品を有するのみならず、全體の半數以上が謀計小説的要素を幾分宛具備してゐるにも拘らず、説公案の本色とも云ふべき計畫犯罪を取扱つたものは僅かに陳御史、懐私怨及び諸謔的な誇妙術、趙縣君等の數篇に過ぎず、其の他の體の作品の中に謀計と技巧とを弄したものが多い。即ち編者は世態人情の裏面や暗黑面を强調して描寫したものは成るべく敬遠しやうとした傾向があ

る。他面又幻想小說としては灌園叟一篇、浪漫的艷情小說としては賣油郞、唐解元の二篇程度に止まり、幻想、空想的分子は努めて排斥されてゐるのであるが、然らば寫實的作品として佳なるものを求むれば、金玉奴、杜十娘、喬太守の諸篇位に過ぎず、其の他のものには現實的な事件や問題を取扱つてゐても、謀計や技巧や運命論が中心となつてゐて、寫實的な感覺を出したものは少い。

之を要約すれば、讀んで爲になり、當り觸りのない作品のみを集めやうとした所に奇觀の小說選集としての不徹底さが免れず、中庸を保つに熱心なる結果として、何れの方面の趣味に於ても徹底した讀み答へのある作を選ぶことが出來ず、爲に原書の優篇傑作を殆ど大部分逸することになつたのである。故に我々が奇觀だけを見て得た話本小說の概念が教訓的であつたり、反人情的であつたり、低俗であつたりするのは或る程度已むを得ないと云へる。併し一面に於て奇觀の作品を今少しく仔細に檢討すると、奇觀必ずしも低俗でもなく、教訓書でもないのである。作品の深刻味に於て缺ける所はあつても、內容の多方面、多趣味なるは一見明瞭であり、其の各方面に於て各〻一體の小說を形成してゐることも事實であり、各體の作中より比較的佳なるものを摘出して考察すれば、之をも一概に低俗と譏ることは不當である。但し奇觀全體としての物足りなさは編者の主意に因ることであつて、認めざるを得ないが、之を以て話本小説の全般を推すことは云ふ迄もなく誤りである。

今古奇觀の辯は此の位に止め、次に話本小説の通性を論じやう。既述の如く話本小説が民間説書の材料として用ひられてゐたのは宋代より明代の遲くとも三言出現以前迄であつて、爾後其の領域を全く評話、彈詞、鼓詞等に讓つた形になつて居り、自らは耳に訴へる文學より眼に訴へる文學へと轉じて復興し、清代中期迄餘命を保つた譯てあるが、其の衰微と共に作品內容及び作品要素も亦各種の白話長篇小説、彈詞、鼓詞、戲曲を始めとして、一部分は文言筆記類、民間宣講書の類に迄も吸收し盡されて、殆ど存立の意義を失つた形で自滅したのである。(此の間の事情に就ては更に第四章に於て少しく詳説した。)

併しながら話本小説獨特の味と云ふものは長篇小説、文言小説、彈詞、鼓詞、戲曲、宣講書等には容易に見出し難いものがあるのであつて、彈詞以下の四種は韻文雜りであるから今暫く措き、同じく小說と呼ばれる作品の內にあつても、單に短篇なるが故とか、白話なるが故とかの外に特種の興趣を呼ぶ所以のものは一に其の作品要素の配合と、個有の作風によつて釀し出される雰圍氣とによると云ふ外はないのである。

そこで其の雰圍氣の本質に就て少し考察して見やう。大體に於て文言小說の如きは其の多くが文人遊戲の作であり、白話長篇小說でも一部分の純民間文學的意義を有する作を除けば、其の他は明代以後文人の手によつて開拓されたものが多く、此等の作には宋代說書の語氣なり態度なりは殆ど見られないのが常である。之に反し話本小說に於ては宋元の舊作は固より、所謂擬話本にあつても單に宋人の口吻を襲用してゐるのみならず、其の態度迄が總て人に語り聞かせやうと云ふ心持で出來てゐる。人に語り聞かせる以上は作者の云はんと欲する所を十分述べることも必要であるが、同時に聞く者に取つても何等かの意味で十分面白いものでなければならない。つまり一種又は數種の際立つた興味を中心として物語を組立てねばならない。作者は豫め興味の焦點を握んで置いて、たとひ篇幅は短くとも其の興味を十分に活かし、興味の內容としては出來るだけ多種の要素を織込み得ればそれに越したことはないのである。

之は換言すれば話本小說の大衆性に外ならないのであつて、常に大衆と共に生きんとする態度とでも云ふべく、此の態度は文人話本時代になつても根本的變革は見なかつたのである。唯、文人話本に於ては古い話本に於ける「聞いて面白いものを」と云ふ態度の外に「聞いて爲になるものを」と云ふ態度が新に附加されたものと見られる。此の點は啻に明末時代風潮に對する文人的反動たるに止まらずして、當時の小說作家の文學的自覺即ち創作意識の新發展に本づいたものと思はれる。

兎も角作者が專ら自分で書きたいと思ふことを其の儘書いた作と、人に(殊に大衆を相手として)語り聞かせやうと云ふ氣持で書いた作との間に種々の意味の相違のあるのは當然である。以上の如き話本小說發展途上の特殊事情を考慮に入れなかつたならば、話本小說の構成要素を眞に理解することは不可能に近いのである。

一口に云へば話本小說と云ふ概念の中には今日の所謂純文學的要素と大衆文學的分子とが縱横無盡に交錯してゐるのである。又一般に文人話本に於ては卷頭に先づ何等かの道學先生然たる理想、鑒戒の辭を冠したものが多いが、作品の內容に於ては必ずしも其の冠辭と合致せぬものが少くない。時には之と相背馳する樣な作品さへ見られる。卽ち作者の文學的衝動は必ずしも其の口にする道學的理念と並行するとは限らないのである。古い民間話本にはかゝる複雜性は殆ど見られないが、後世のものに於ては、話本作家は同時に大衆作家でもあり、純文藝家でもあり、警世家でもある者が多いのである。かくの如き雰圍氣によつて醱し出されたものが卽ち話本小說獨特の味となつてゐるのである。

以下五大類の別に從ひ、節を分つて話本小說の各要素を觀察することゝしやう。尙作品の評論に當つては拙文披閱の榮を賜はる諸賢の原書檢索の勞を慮り、特に著名な作、繁瑣な作を除き、力めて說話の輪廓を記すことゝしたが、中には十分原作の面目を傳へてゐないものもあるのは偏へに拙筆の罪であつて、此の點は豫めお斷りして置きたい。

第二節　靈怪類

第一項　幻想小説

第六表に示した如く靈怪類の名を以て總括した幻想小説と道佛小説とに創作年代の古いものが多く見られるのは此等の作品の大衆性を物語るものであつて、洗錬せられた文人話本は殆ど此の類に見られず、又清代の作が一篇もないことなどは玩味すべき點である。

玆に幻想と呼んだ内容は必ずしも學術的に事の眞僞を考覈した譯ではなく、鬼談、妖怪談、狐狸談、其の他獵奇的、大衆的興味を狙つた作、寓言的作品等に於て常識世界より幻想視される事件を取扱つたものを指したのである。此の類の作は民間傳説乃至文言小說中の志怪書の系統を引いたものであることは云ふ迄もない。 幻想小説は其の作風上主として幻想趣味を中心とせる大衆的作品と比較的寓言色濃厚なる風世的作品とに分つことが出來る。 發達の經路としては先づ前者より始まつてゐる。

大衆的幻想小説中宋元の作と目されるものは話本中の第一期作品又は其の形態面目を最も忠實に繼承したものと解することが出來、人をして空幻縹緲たる童話の世界に遊ばしめるものが多い。 京本通俗小説の碾玉觀音、西山一窟鬼の如きは既に著名な鬼談であり、清平山堂話本の西湖三塔記は奚宣贊と白蛇、烏鷄、獺の三精との物語、洛陽三怪記は赤斑蛇、白貓兒、白鷄精の三怪のこと、陳巡檢篇は陳從善の妻が猴精白申公に淩はれたこと、通言の崔衙內篇は崔公子が定山の諸怪と妖女とに會つたこと、假神仙篇は二龜精が呂洞賓、何仙姑に假扮して魏生を惑はしたこと、福祿壽篇は劉漁夫が鹿龜鶴の三精に飜弄されたことを夫々語つたもので、鬼又は妖怪の人格化を主題とした點に於て相通ずるものがあり、碾玉觀音の情節稍々波瀾に富めるを除いて、他は概ね幻想小説の最原始形態と見られる。 陳巡檢篇を除き他のものは何れも作中の人物が鬼怪の類であることは末段に至つて明かにされ、此の點が共通の趣考となつてゐる。唯假神仙篇だけは妖怪が人物に化けないで神仙を冒瀆した點に二重の趣考が用ひられてゐる。

通言の皂角林篇は趙知縣が皂角林大王廟を毀つた祟りで歸鄉の途中大王に散々翻弄され、家に歸ると既に假趙知縣が歸つて居り、九子母娘娘の力で漸く害を除かれた物語で、包公案の金鯉、玉面猫諸篇と同趣味の作である。恆言の小水灣篇は王臣が二狐を傷けた爲、狐が僞扮僞書で王臣を弄し、其の家產を破つて之に復讐したことを語り、鑒戒の意もあるが、技巧と謀計とを以て興味の焦點としてゐる。此の二篇は幻想小說に謀計趣味を加味し、大衆作品とし て一進化を來した作である。又恆言の鄭節使篇は鄭信が古井に入り蜘蛛精日霞仙子に會つた物語で、隋唐演義の狄去邪の事と同類の故事であり、幻想小說に冒險趣味を配して大衆作品の一派を開いたものである。以上宋元の諸作には民間文學の面目躍如として居り、僞らざる天眞爛漫さを見ることが出來る。

欹枕集の夔關篇は稍〻後世の作と見られ、姚卞が夔關に諸葛亮を弔し其の靈に會つたことを語つた懷古の作であるが、歷史小說と云ふ程のものではない。

明代の作たる通言の白娘子篇は許宣と白蛇精白娘子との故事を說いた極めて著名な物語で、清代の章回小說雷峯塔奇傳、西湖佳話の雷峯怪蹟を始として、通俗文學界に於ける勢力は既に周知の事實である。其の筋書は西湖三塔記より得たものと見られるが、作品の味は實に宋元大衆幻想小說の集大成であり、言情の筆致も亦優れてゐる。恆言の黃秀才篇は黃損と韓玉娥との姻緣に神人の媒介を配し、多少說理的ではあるが、幻想が根柢となつた作である。

獨孤生篇は夢遊錄に見える獨孤遐叔の事を演じ、遐叔が龍華寺で見たことゝ妻白氏が夢に見たことゝが相符したと云ふ物語で、寫情の爲の寓言ではあるが、縹緲たる幻想趣味を具へてゐる。此の一篇は大衆的幻想作品中にあつては最も文人化した作である。

之に反し初拍の鹽官邑篇は仇氏の女を凌つた妖怪が觀音の力で除かれ、仇氏の所在を最初に發見した劉秀才が其の壻になつたと云ふ童話的物語で、陳巡檢篇の系統を引き、文人話本中最も大衆的興味を發揮した作である。西湖二集の邢君瑞篇は邢生と水仙との事を說き、假鄰女篇は羅慧生が老狐の媒で方氏の女を娶つたことと、宿宮嬪篇は宋の度宗の妃花春麗の鬼のことを說いた何れも傳奇的作品である。

以上の諸作を通觀すると、此の類の話本は最初極めて素樸な民間文學から興つて、漸次構想が複雜となり、文辭も美化され、作意が加はり、遂に傳奇化して行き詰つてゐる。發展系統を觀ると、西山一窟鬼、西湖三塔記の類は白娘子となり、陳巡檢の類は鹽官邑となり、碾玉觀音の類は獨孤生に轉じ、皂角林、小水灣の類は假鄰女に變じて居り、後世の作が宋元の作より數の減じてゐることは作品の性質上當然である。尙幻想小說が一面寓言性を有することは話本に限らず、文言小說に於ても、長篇小說にあつても見られる所で、右の諸作でも若し寓意のある所を穿鑿すれば限りのない事でもあり、大衆趣味の中心から遠ざかる事でもあるから、煩を避け觸れないことゝする。

風世的幻想小說には理想小說的なもの、諷刺的なもの、說理的なものゝ各種がある。京本通俗小説の志誠張主管は鬼談である點では碾玉、西山等と揆を一にしてゐるが、張員外の貪色、小夫人の多情、主管の潔癖等、性格描寫も面白く、作者の風世的態度等より見て宋代話本中比較的進化した形態の作である。

欹枕集の霅川篇は梁の蕭琛が覇王の廟を毀つた物語で、迷信打破の故事に屬し、幻想小說としては幻想を語りつゝ幻想を貶したことになつてゐる。前述の皂角林篇と恰も相表裏する作と云ふべきである。恆言の灌園叟篇は一仙女を借つて愛花の趣味を讃美したもので、之を解せざる殺風景の徒を懲らして居り、主人公の老叟と仙女との配合が面白い。薛錄事篇は

「青城縣主簿薛偉は一旦病死して、其の魂が水邊に遊んで魚となり、東潭の漁父に釣られ、縣衙に運び込まれて、廚人に首を絕たれた處で蘇生して元の薛主簿となり、其の事を人に語り、後、李道人の教で大悟し夫人と共に昇仙した。」(唐人傳奇魚服記の故事を演ず。)

と云ふ物語で、莊子の哲學を通俗小說化した樣な筆法であるが、魚となつた薛主簿の刻々の心境を微細に寫した處など實に寓言の妙を得てゐる。幻想的

構想の奇と社會人生に對する暗諷の意と相俟つて、幻想小說中の壓卷とも見られる作である。雪川、灌園叟、薛錄事の三篇は諷刺的な點で相通ずるものがある。

敍枕集の李元篇は李元が朱蛇を救つて龍女を獲た故事で、西湖二集の救金鯉篇は之を祖述したものである。卽ち楊鐵崖が西湖で金鯉を救ひ、後美妾竹枝を得、竹枝の死後夢に龍宮に招かれ、竹枝が龍女であつたことを知つたと云ふ物語で、詩人鐵崖を粉飾した一種の別傳である。此の二作は表面勸戒の語はあるが、實は傳奇的小說で、前述の大衆的幻想小說と餘り大差はない。同じく西湖二集の認回祿篇は周必大が微時隣家失火の罪を自ら負ひ官を退いた德で神の憐を得、後宰相に迄出世したことを說き、筆法は全く前二作と同じである。

恆言の大樹坡篇も同系統の作で、父母の命により將に絕たれんとした、勤生、林女の姻緣が曾て勤の救つた虎の力で玉成された故事、初拍の感神明篇は之と稍〻異なり、裴、張二家の姻事が偶然出現した虎の力で算命家の豫言通り涉つた故事で、前者は虎の働き以外にも情節の味はふべきものが多いが、後者は全く運命論的說理小說化してゐる。此の二篇は幻想と云つても甚だ狹い範圍の幻想に過ぎないが、暫く此の部類に附することゝした。

右の諸作を發展過程より見れば、霅川より薛錄事に至る諷刺的作品と、李元より大樹坡に至る生物愛護、陰隲的思想の作とが二大潮流をなして居り、志誠張主管の類は直接風世類へと進んだ譯である。

幻想小說全般を通じて觀察すると、白娘子、獨孤生、薛錄事の諸篇が分水嶺となり、それ以後は下り坂で、幻想趣味其のものに佳なるものは少く、殊に霅川、感神明、認回祿等風世的要素の露骨なもの程面白くない。即ち話本中の幻想小說は宿宮嬪、認回祿に至つて滅んだのである。併し幻想趣味を利用した作は尙後述の艷情小說、理想小說、鑒戒小說、說理小說等にも見られ、其の他部分的な幻想癖に至つては各種各體の作に亙つて枚擧に遑がなく、話本小說の大衆性の一端として注目すべき點である。

第二項　道佛小說

道佛小說は大衆化した道佛思想が直接話本作品に現はれたもので、其の最初のものは宋代に說經と呼ばれた類の話本で即ち佛理小說である。雨窓集の花燈轎篇は張元善の一女蓮女が嫁するに臨んで坐化成佛した物語で、唐以降の佛曲より轉化した話本文學の搖籃期を代表する作である。此の物語の寶卷形式は續金瓶梅の大覺寺の一段に一老尼の口から語られてゐるのによつて其の面目を窺ふことが出來る。

淸平山堂話本の五戒禪師篇は五戒、明悟二高僧の中五戒は色戒を犯して轉生して蘇東坡となり、明悟は之を追ふて轉生して佛印師となつた故事、恆言の佛印師篇は東坡が佛印に琴娘を贈つたのを佛印が退けた故事で、內容は恰も兩者連切してゐる。初拍の金光洞主篇は西遊記、西洋記等の卷頭の筆法を學び、宋の丞相馮京が自ら金光洞主の轉生なるを悟り「當時不曉身外身、今日方知夢中夢」なる頓悟の句を詠じたことを語り、幻想的敍述に優れて居り、佛理小說の最も進歩した形を具へてゐる。此等の作は何れも佛說を通俗的に說いた小說である。

神仙小說は有名な神仙の列傳が多く、民間の神仙傳說、文言の神仙物語等の話本化したものである。其の中で通言の旌陽宮篇は晉代の許遜が得道して孽龍と戰ひ、之を滅ぼして民を救ひ昇仙したことを演じた鄧氏の鐵樹記を取つたもので、元來話本ではなく、他の諸作とは趣も異なつてゐる。

雨窓集の董永遇仙傳は董永と織女との故事を說いた童話的作品で、勸戒の意をも寓してゐるが、先づ此の類の初期作品と見られる。張子房篇は子房の辭官入山を說いて諷刺の意を藏し、稍歷史小說化してゐる。恆言の李道人篇、杜子春篇の二作は共に飄逸な作風に於て、神仙小說の本色を具へたものと見られる。前者は李淸が雲門山で仙となつたことを說いて、鄭節使篇類似の冒險趣味を交へ、後者は有名な杜子春傳の故事を敷衍して寓意も描寫も傑れてゐる。恆言の呂洞賓篇は呂洞賓と黃龍和尙との爭ひを語り、初拍の唐明皇篇は張果、葉法善、羅公遠等の事を語り、二篇共に道敎と佛敎との術くらべに亙り、殊に前者は大分佛理小説をも兼ねてゐる。　恆言の馬當神篇は王勃の事を粉飾した別傳の一體であり、西湖二集の馬神仙篇は葉法善の弟子馬自然の道術と警世諷人の奇行とを記し、吳山頂上神仙篇は元明間の吳山の神仙のことを語り、建文帝蒙塵の事に及んでゐる。　三篇共に童話的な分子が多い。

　此の種の神仙談は寓意もさることながら、矢張り大衆的興味が中心となつたもので、佛理小説の衰頽と共に此の類の作がそれに代り、董永遇仙傳の如き幻想を中心としたもの、杜子春篇の如き寓言的なもの、呂洞賓篇の類の道佛混用の作、吳山頂上篇の類の風世的な作等の各體を出してゐる。　後世の醉菩提の如きは佛理小説であるが、寓言、機智、滑稽等の諸要素に於て話本の神仙小説と相似た點も少くない。

第三節　煙粉類

卽　艶情小説

凡そ小說なるものが大部分艷情を主題とし、言情を主要素とすることは古今、東西の通則であつて、此の意味から言へは小說の分類に於て仰々しく艷情小說の一目を設けることの愚なるは論を要しない。話本小說に於ても此の通則に洩れず、本節に取扱ふ範圍外のものでも大部分は艷情小說と見ること が出來るのであつて、唯茲には比較的幻想、作意、技巧等の諸要素を重視する要なきもの、卽ち唐代傳奇中の艷情の觀念に近いものを僅か二十六種取纒めて論したに過ぎない。從つて話本小說中の艷情作品か本節に論する程度に止まる譯てはなく、寧ろ後述の諸作に更に傑出したものか多いのである。此の點は筆者の分類の不徹底にもよることとてあるか、豫め斷つて置きたい。

艷情小說は先つ其の作風から幻想的作品、風世的作品、一般作品の三種に分ち、一般艷情小說は更に浪漫的作品と寫實的作品とに分ち、浪漫的艷情小說は之を特種の純情小說と通常の傳奇的小說とに二分し、寫實的艷情小說は之を純寫實的なものと寫實浪漫混合の稍〻惡魔主義的なものとに二分することか出來る。浪漫的、寫實的以下の細分類は幻想的作品、風世的作品の二者にも若干應用することが出來る。 題材上から見れば大體才子佳人の屬が大部を占め、然らざるものが一部を占めてゐるが、觀念上語弊を伴ふ爲此の場合適當な觀察ではない。

先づ幻想的艶情小說を一瞥すると、何れも其の幻想分子なるものは一面作品の大衆性を代表すると共に、一面言情の爲の寓言的役割を務めてゐることが分る。 幻想の内容としては死者の蘇生、轉生又は之に類するものが好んで用ひられて居り、牡丹亭還魂記の縮刷版を列べた感じがする。 其の中通言の金明池篇は創作年代も古く、最も大衆性に基礎を置いた作と見られる。 呉清が羅愛愛の死んでから其の鬼に惱まされ、百二十日間も遠方に避難したなどと云ふ點は京本通俗小說の諸作と相通ずるものがある。

初拍以後の文人の作は總て文言小說より材を求めてゐる。 初拍の宣徽院と西湖二集の洒雪堂とは翦燈餘話の故事を取り、初拍の大姉魂游は翦燈新話の故事を用ひ、石點頭の玉簫女は唐の韋皐と玉簫との故事を話本化したもので、何れも、女主人公の死によつて一旦絕たれた男女の姻緣が相思の至極として何等かの幻想的事態によつて續成された物語である。　即ち宣徽院にあつては棺中よりの蘇生となり、大姉魂游にあつては倩女離魂式の長女の心靈作用により次女が其の志を繼いで移花接木の佳話をなし、玉簫女と洒雪堂にあつては死美人の轉生による復活となつたのである。　話本としては洒雪堂篇は原文との開きが少くて妙味に乏しく、大姉魂游篇は架空的に過ぎる點があるが、宣徽院篇は兩親の變心と女主人公の守節とを相配し、姻緣の奇を說いた說理小說としても面白く、玉簫女篇に於ては韋皐の薄倖が運命の數奇と王事に勤勞せるとに本づいた已むを得ざることとなるを寫し、玉簫の鍾情憤死と相對比して一つの問題を構成し、韋皐の岳父張延賞の始末なども諧謔的筆致を以て輕妙に描寫されてゐる。（但し本篇は石點頭中の作としては最も平凡な部類に屬するものである。）

幻想的作品の中多少其の常套を破つて換骨脫胎の妙を得、最も氣の利いた作は、艶異篇の西閣寄梅記の故事を演じた西湖二集の寄梅花篇である。　本篇は入話に歷代妬婦の極端な例を列擧して其の悍狀を曲盡し、妬婦胸中の六可

恨を擧げて微細な心理解剖を行つたりしてゐるが、正話は寧ろ婦人の妬を適度に統制し得た理想的な場合を描いたもので、梗概は

「南宋の時應試の爲臨安に上つた士人朱廷之は妓馬瓊瓊と相知り、其の助で進士となり、平素妬病のあつた妻柳氏を百方說き伏せて馬氏を妾とし、之を西閣に住せしめ柳氏を東閣に住せしめたが、三年經つて廷之が單身南昌に赴任した後、馬氏から梅花の詞が送られ、次で其の鬼が現はれて自ら柳氏に虐げられて死んだと訴へた爲、大いに悲しみ、盛に佛事を營み官を棄てゝ家に歸ると、意外にも馬氏は健在であつたので、始めて假鬼に會つたことが判り、一家團欒して餘生を送つた。」

と云ふ餘裕ある構想に成つてゐる。云ふ迄もなく假鬼の一段は遊戲筆墨でもあり、又寓言でもあり、朱廷之の懼内癖は此の時に至つても尙疑心暗鬼を生ずるを免れなかつた譯である。他作に比べると全く幻想を逆用して新しい一體を開いたもので、技巧的な點で作風の眞摯さは減じてゐるが、如何にも文人話本らしい作である。

幻想的艶情作品發展の經路としては金明池篇の類に始まり、玉簫女篇、寄梅花篇の類に至つて進むべき處迄進んだものと見られる。作者の態度から云へば、金明池篇の民間文學的趣味を除き、大體文言の傳奇に準ずる浪漫的作品に屬し、寄梅花篇以外は概ね純情小說に類するものである。

次に風世的艶情小說に移らう。一般に文學作品に於ける諷意の有無と云ふことは時に觀察者の主觀により如何樣にも解釋の附くこともあり、極めて難しい問題で、之に拘泥し過ぎると文學の本義を沒却するに至る場合が少くない。宋代話本小說の如きは其の一例である。旣に艶情小說と云ふ以上、言情其のものに風世も不風世もあり得ないのであつて、我々は唯作者の態度と題材の性質とによつて便宜上の判斷を下すに過ぎない。宋代の作品に就て鄭振鐸氏が「爲說故事而說故事的態度」が多いと評されたのは至言であつて、筆者は其の中から殊更好んで風世的なものを摘出した譯ではないが、論述の都合上後世の風世的艶情作品の祖と目すべき作として、京本通俗小說の馮玉梅團圓と雨窓集の戒指兒記とを擧げたのである。

戒指兒記は阮三が尼菴で頓死し、阮家が其の屍を收めた處で原文が缺けてゐる爲、古今小說の間雲菴篇を見ない筆者には稍〻不確實ながら、先づ風世的傾向は認め得る樣である。　馮玉梅篇は夫妻離合物語たると共に馮玉梅の節義物語であり、入話正話共問題も暗示に富み、啻に此の部類の作の遠祖たるのみならず、後述の理想小說に編入した奇觀の沈小霞、初拍の顧阿秀諸篇の先驅となつたものである。

奇觀の金玉奴、通言の杜十娘、王嬌鸞諸篇は梗概を述べる迄もなく既に著名な作であり、薄倖男子膺懲の三部作として各〻快心の筆を揮つたものと云ふべきである。　殊に金玉奴篇の趣考、杜十娘篇の謀計趣味などは一篇の主意と相俟つて著しく作品の大衆的普遍性を大ならしめてゐる。　併しながら李公子、周廷章、莫秀才の如き忘恩負義背盟の徒は世に決して珍しくはない。　此等諸作が一面寫實小說的意義を有する所以である。　其の中王嬌鸞篇は多少露骨に過ぎ文辭も固苦しくて面白くないが、金玉奴篇に於て玉奴が曾て己れを殺さうと迄した薄情郎を棒打しながらも再び之と團圓した態度などは、罪を憎んで人を憎まなかつたものか、大義と私怨とを辨じたものか、兎も角味はふべき所があり、杜十娘篇に一貫せる十娘の聰明と、前段の微笑ましき苦心經營に對する末段の悲慘なる決絕投江とに至つては一篇の人生哀史であり、作者の「明珠美玉投於盲人」の嘆は智の遂に情に敗れたるを悼んだものに外ならないのである。

初拍の通閨闥篇は卷頭に「世間何物是良圖、惟有科名救急符、試看人情翻手變、窗前可不下功夫」の一詩を掲げ、私行が災ひして投獄せられた張秀才が鄕試の捷報により縣宰の周全で罪を免れた故事を說いたもので、作意は一見勸戒に似て、其の筆致は暗に勝てば官軍式の世相に對する諷刺の意を寓したとも見られ、單なる艷情小說とは趣を異にしてゐる。勿論問題の中心は名教と擧人(又は「才」)と何れが重きやにあるのであつて、名教と艷情と何れが重きやにあるのではない。西湖二集の天台匠篇は尼菴の腐敗墮落をこき下して居り、中間に猥奇的な文辭も見えるが末段には張漆匠の仲間の者の老成な語を配して均衡を保たしめてゐる。一種の暴露小說である。

以上の風世的作品は馮玉梅篇の傳奇的、理想小說的なるを除き、他は大體寫實的、鑒戒小說的作品に屬し、發達過程としては馮玉梅、戒指兒の二原形より出發し、前者は轉じて理想小說となり、後者は進んで天台匠篇の類に至り、中間に杜十娘、通閨閨の各形式を生じ、此等が合流して後述の問題小說の領域に進んで行つた譯である。

一般艷情小說は之を前述の細分類に從つて配列すれば第八表の通りとなる。

第八表　一般艷情小說分類表

一、浪漫的小說
　純情小說——(通)23樂小舍(通)24玉堂春(恒)3賣油郎
　　(拍)25趙司戶(聞)10梅嶼恨蹟
　傳奇的小說——(清)風月瑞仙亭(恒)28吳衙內(西)12吹鳳簫
二、寫實的小說
　純寫實的小說——(貪)15馬玉貞

惡魔主義的小說——㊢柳耆卿㊪34聞人生㊮11許玄之㊮22黃煥之

名稱は何れも相對的意義に止まるものである。發達の順序から見れば傳奇的小說が最も古い形式である。清平山堂話本の風月瑞仙亭の主題となつた相如文君の故事は歷代文言小說の一定型を示すものであつて、本篇はそれが白話小說に導入された基本型と見られる。恆言の吳衙內篇は吳公子、賀小姐の江上の奇緣を物語つた頗る浪漫的な作で、謀計及び悲喜劇的敍述にも優れ、末段に於て若し姻緣の玉成を以て結ばなかつたならば、多少固苦しい鑒戒作品又は問題小說化すべき處を輕く受流した感があり、傳奇的題材を取扱つて話本作品の味を出した一代表作である。運命の惡戲を象徵した說理作品としても興味あるばかりでなく、技巧的な點で後述の謀計小說と相通ずるものがあり、悲喜劇的な點で諧謔小說たる恆言の錢秀才篇と好一對をなしてゐる。同じく謀計が暴露しながら、彼は最後迄悲喜劇に終り、此は艷情佳話となつてゐる處が面白い。蓋し智を用ふるに情に本づくと本づかざるとに因るとでも云ふべきであらう。西湖二集の吹鳳簫篇は潘生、黃小姐の二人が吹簫が縁となり伉儷を諧した物語で、文辭は優れてゐるが、構想は大體才子佳人の常套である。

純情小説として擧げたものは傳奇的な點では右の諸作と同系統であるが、話本として波瀾にも富み、且つ至高清純な情の極地を描いた點で幻想的艶情作品と異曲同工の作風を具へたものである。此の類の中で最も感傷的な作は通言の樂小舍篇である。樂和が幼馴染の喜順娘との婚を父に拒まれ、錢塘看潮の時順娘が潮に浚はれるや、樂和も亦之に殉じ、二人共に救はれ蘇生して伉儷を諧したと云ふ構想は話本中にあつても容易に得難いものがある。或は蘇生の一項は蛇足に近いかも知れないが、民間話本の大衆性として已むを得ない點と見られる。錢塘の看潮を背景とし幻想的筆致を交へて描かれた喜樂和順の物語は梁山伯祝九娘寶卷や古くは華山畿の故事等と共に一派の文學をなすものと云へる。

通言の玉堂春、恆言の賣油郎、初拍の趙司戸諸篇は總て舞臺を青樓に求め、文言筆記類の一體に對抗すべき話本中の青泥蓮花物語であり、就中玉堂春、賣油

郎の如きは後世の民間唱詞にも持てはやされた著名な故事である。　玉堂春篇は

「尙書王瓊の子景隆が都にあつて妓玉堂春に狎れ、揮霍の果て貲盡きて歸鄕し、奮志讀書により官を得、玉堂春が山西の人沈洪の妾となり、其の大婦が沈を毒殺した案に冤罪を蒙つたのを救ひ出して團圓した。」

と云ふ物語で、王公子の揮霍と奮志、玉堂春の前後一貫せる守節、全篇に横溢せる謀計趣味等、青樓小說として、又大衆性に富んだ點など此の類の冠たるに足り、末段は簡單ながら犯罪小說ともなつてゐる。　賣油郎篇は名妓玉美と賣油郎秦重との至情至誠によつて姻緣を遂げた物語に玉美の謀計を配したもので、純情の點では遙かに玉堂春篇を凌いでゐる。（我が紺屋高尾の故事に比すべき作である。）　趙司戶篇は趙不敏と妓蘇盼奴とが相思ふて偶、同日に死し、趙の弟と蘇の妹とが其の姻緣を續成した物語で、大兄大姉の方は純情小說をなし、小弟小妹の方は傳奇的小說であり、全體としては稍纒まりの惡い嫌ひがある。　右三作は何れも青樓小說にして純情小說を兼ねてゐる。　青樓作品の純

情性は話本に限らず屢ゝ見られることであり、後世の桃花扇は云ふ迄もなく花月痕の如きは其の代表作である。蓋し作品の傳奇性、大衆性にもよることながら、作者が胸中の鬱憤を晴らす上にも好箇の題目となつたものと思はれる。

奇聞の梅嶼恨蹟篇は原文は西湖佳話に出で文體も詰屈で、話本としては變則でもあり、內容も纏つた小說をなしてゐる譯ではないが、大婦の妬に會ひ不幸憤死した小青の故事は古くより無名氏の小青傳、墨憨齋の情史、徐秋濤の閨秀英才等によつて喧傳せられ、文人の淚を唆つた恨事と見られる。物語の性質上純情小說に附することゝした。

次に純寫實的小說として貪歡報の馬玉貞篇を掲げたが、貪歡報の諸作は寫實小說兼情癡犯罪小說を主體としたもので、本篇の如きも一面犯罪小說を兼ねてゐる。此の書中にあつては平凡で奇とするに足らぬ作であるが、市井の小人に材を取り寫實主義的乃至自然主義的な心理描寫の巧妙な點など全書の作風の一斑を代表してゐる。物語は

「永嘉縣の寡婦馬玉貞は縣の差使王文に嫁しながら近隣の宋仁と相知り、

共に杭州に走り、生計に窮して私娼となり、無頼漢楊祿が玉貞の叔と伴り錢を得んとして王文を訴へたので、王は捕へられたが、後宋仁、馬玉貞の杭州にゐることが判明して二人は官に捕へられ、楊祿は打死され、宋仁は徒刑に處され、玉貞は再び王文に歸した。」

と云ふ梗概より成り、玉貞墮落の經路と楊祿誣告の一段とに筆力を注ぎ、飽く迄社會の暗黑面を狙つた作である。篇中の人物も悉く人を食つた名が附けられてゐる。通常の艷情小說の觀念からは大分遠ざかつた感があるが、話本小說中の一體たることは事實である。

惡魔主義的小說と名づけたものは多少誇張の嫌ひもあるが、大體に於て浪漫的に似て浪漫的に非ず、寫實に似て寫實に非ず、傳奇的小說と純寫實的小說との中間に位するもので、稍〻惡趣味に墮した傾向の作を指したのである。即ち傳奇的小說を軸として純情小說と對蹠的地位に立つものである。其の中の初期の作たる清平山堂話本の柳耆卿篇は詞人柳七と妓月仙との事を說き、柳の謀計が興味の中心となつたものらしいが、眞に惡趣味の至れる作である。

初拍の聞人生篇は聞人生と靜觀尼との姻緣を中心とし、尼菴の醜狀暴露を之に配した本格的惡魔主義小說で、寫實的筆致の傑れた點は認め得るが、趣味其のものは飽く迄惡質である。

貪歡報の許玄之篇は許秀才が夢中の緣により一妻二妾を得た物語で、中間に脫牢の變裝謀計趣味を配し、幻想、說理、艷情、謀計を兼ねた傳奇的作品であり、黃煥之篇は黃生が尼菴に遊び遂に一妻二妾を得た傳奇的小說であつて、二作共に國色天香式の明末傳奇の體を話本に應用したものと見られ、前者の如きは筆致迄相通ずるものがある。 此の二作の如きは其の主意も既に低俗たるを免れず、構想も浪漫的、幻想的を通り越して妄想的の弊に墮ち、僞似惡魔主義作品とでも云ふべく、貪歡報中の別體たるのみならず、話本小說としても變則の作である。 尙此の傾向の作品は長篇章回小說に於ても五鳳吟の如き類似作があり、明清間の一部の風潮を物語るものである。

今一般艷情小說發達の過程を辿ると、風月瑞仙亭の形の傳奇的作品から始まり、眞直ぐに吹鳳簫の類に至り、其の途中で一部は吳衙內の類を生じて謀計小説に變じ、一部は樂小舍又は玉堂春の類へと進化し、此の邊で一轉して馬玉貞の類、聞人生の類、許玄之の類を生じ、以後後述の犯罪小說、問題小說の諸作へ合流したと見られる。

艶情小說全般を通じて觀ると、幻想的乃至浪漫的作風の諸作と風世的乃至寫實的作風の諸作とが略〻相並行して發達して來たことが判る。併し言情小說の本色が以上で盡きるものでないことは最初にも斷つて置いた通りである。

第四節　講史類

卽　歷史小說

歷史小說に屬ずる諸作には創作年代の古いものは乏しく、大抵は文人の作で内容から見て寓言小說に類するものが多く、史實を借りて或は作者の思想を表現し、或は時世に對する不平を吐露した類のものが主になつてゐる。恰も詩人が故事を借つて近事を諷するのと同一筆法である。故に題材上講史類と命名したけれども、孫氏長篇小說分類に於ける小說部に對する講史部と云ふ意味の講史よりも、寧ろ今日普通に行はれてゐる歷史小說の觀念に近いのである。又短篇の性質上何れも別傳の體裁に限られてゐる。此の點も長篇講史書の常則と異なる所である。即ち長篇講史書と話本の歷史小說とは題材は相似て、作風には大なる差異があり、前者の大衆的なるに比し、後者は殆ど純文人作品化してゐる譯である。

此の類の中、京本通俗小說(又は醒世恆言)の海陵王篇と通言の李謫仙篇との二者だけは單なる傳奇的作品と見てもよいが、其の他の諸作にあつては概ね作者の意のある所を察するに難くない。欹枕集の老馮唐、漢李廣の二篇は文辭は素樸であるが、此等の數奇なる文武官の運命を描いて、前者に於ては廿の晚成を稱し、後者に於ては其の死して尙賞せられざるを悼み、相對比して人生の常なきを說いたもの〻樣である。

初拍の何道士篇、醉醒石の狂和尙篇、奇聞の李福達篇の三篇は創作年代は各隔つてゐるが、共に逆亂の事を敍して相似た作風に成つてゐる。　何道士篇は女仙外史で女英雄化されて有名な唐賽兒の亂を主題とし、賽兒が妖術を得て何道士と結び、亂を起して府縣を掠めたので、朝廷より征討の師を向け、賽兒は刺されて亂も鎭まつたと云ふ筋書で、末段は正史に見えてゐる賊平らぎ賽兒は遂に逃れたと云ふ史實とは異なつて居り、巻頭には唐末侯元の亂と平妖傳とを引いて妖亂の罪を鳴らし、賽兒を以て妖術殺身の鑒としてゐる　清初の外史と明末の本篇とは同一史材を用ひた對蹠的作品として興味ある對照をなすものである。　尙本篇は初拍中にあつては幻想獵奇的な大衆小說に近い作であるが、凡そ大衆讀物に於て作中の主人公が一概に惡者として取扱はれてゐることは讀者に取つて實は餘り面白いことではない。　鑒戒小說の大衆小說としての矛盾、不自然、反大衆性と云ふ樣な點は此の大衆心理から生れて來るのではないかと思ふ。　此の點は話本研究上考ふべきことである。

醉醒石の狂和尙篇は成化中李子龍が星家の言を信じて、韋太監と結び反を謀り、事露はれて戮せられた事を記し、妄志を戒めた作で、蓋し明末不逞の徒を諷したものと思はれる。　情節は相當面白く描かれてゐる。　奇聞の李福達篇は明史に本づき嘉靖中山西白蓮教の妖賊の一味李福達の始末を述べ、福達の變名張寅の就縛より、朝にある直臣佞臣の葛藤を生じ、直臣四十餘人の受刑となり、世移り隆慶中に至り福達の死後其の罪露はれ、滿門抄斬の報を受けた次第を描いて、亂臣賊子に筆誅を加へた譯であるが、文中往々政治法律論に及び、殊に直諫過激の弊を戒める等、作風は多少西湖二集、醉醒石の流を汲んでゐる。此の作は單なる鑒戒作品たるに止まらず、歴史小說として興味ある內容を具へてゐるが、文辭は振はない。　右の三篇は文人話本中にあつて、相當講史書的、色彩をも具へた作と見られる。

　西湖二集に於ては歴史小說が重心の一つとなつてゐることは既に第三表に示した通りであるが、元來本書は靈怪、煙粉二類に屬する作にも明かに現はれてゐる如く、著書の性質上、話本集中最も傳奇的要素に富んで居り、而も同時に作者の創作意識も極めて自由奔放な筆致を以て表現されてゐる。　本書の反面に於て煩はしい技巧趣味が餘り利用されてゐないのも作者の態度の然らしめる所である。作者は實に鄕土愛文學を提げ、詩人的感激を以て經世の志と骯髒の意とを遣つてゐるのである。小說家中の陸放翁であり、又楊鐵崖であると云つても殆ど過言ではない。從つて此の書の歷史小說は創作意識を度外視して讀むことは出來ない。作者自身も開卷劈頭、瞿宗吉の翦燈新話、徐文長の四聲猿を引いて自己の心境を物語つて居り、卷後の西湖秋色一百韻にも「古今成敗胸中事、世道榮枯分外紆」と咏し、「千載是非留往蹟、百年憑弔獨存吾」と嘆じてゐるのである。

史材から見れば書中十篇の歷史小說には唐宋の故事と明代の故事とが相半ばしてゐる。吳越王篇にあつては錢鏐發跡の始末を語り、宋の高宗を以て其の再世となし、宋高宗篇に於ては當時「提兵百萬西湖上、立馬吳山第一峰」と高吟した北人の軒昂たる意氣に對し「那知卉木無情物、牽動長江萬里愁」と呻吟した南人の懦弱なる氣風を寫し、共に偏安の昔を說いた歷史物語であるが、蓋し作者は時の南風競はざるを諷したものと思はれる。覺闍黎篇は南宋の奸臣史彌遠の事、會稽道中義士篇は宋の遺民唐珏、林德陽等の事を敍し、薰蕕不同器篇は唐の褚遂良、許敬宗の事を述べて良狗の煮られ狡兎の逸るゝ様を寫したもので、何れも作意は明瞭である。壽禪師篇(宋濂の事)、劉伯溫篇、商文毅篇(商輅の事)、忠孝萃一門篇(王褘、王紳父子の事)、胡少保篇(胡宗憲の事)等は皆明代の先賢を拉し來つて、其の人となりを稱し功業を讚したもので、竊かに時の人なきを嘆じたものゝ様である。以上の中、吳越王、覺闍黎、壽禪師諸篇に說かれてゐる人物の輪廻再生の一事は明かに作品の大衆性を狙つたものである。忠孝萃一門の如きは理想小說の本色をも兼ねてゐる。以上の諸作には寓意以外記事の點でも傳奇的筆致を以て佳なるものが多い。

西湖二集から眼を豆棚閒話に轉じると歷史小說は更に新たなる分野を開拓されてゐる。此の書の體裁は夏日豆棚下に於ける鄉村老少の談話の形式を採り、每日の談話が每則の話本を構成して居り、此の點作者が讀者大衆を前に置いて談話を行ふ話本小說の常則から見れば全然軌道を踏み外してゐる。之は鄭氏の指摘された如く、印度、波斯、阿剌比亞の物語の體を襲つたものであらうが、强ひて漢籍中に其の例を求むれば、先づ屈原の漁父辭、蘇東坡の漁樵閒話等の流を汲んだものと見るより外はない。話本中では西湖二集の天台匠篇などが說話の構成法に於て此の書に先鞭を着したものと見られる。本書に見えてゐる歷史小說の諸作は講史書としては既に邪道に墮ちたものであるが、歷史小說としては恐らく最高峯に達したものであり、以後話本の衰滅と共に此の體の作も其の跡を絕つたと見られる。本書范少伯篇末尾の紫髯狂客の評語に「人知小說昉于唐人、不知其昉于漆園莊子龍門史遷也云々」と先づ南華、史記の小說性を論じ、以て該作の筆法と相表裏せしめたのは、或る意味に於て面白い觀察である。

諸作の內容を檢討すると、介之推篇に於ては一「妬」字を主題とし、始に妬婦津の故事を引用し、介之推は十九年の國外亡命より歸朝しながら妻石尤の妬に阻まれて出仕することが出來ず遂に山中に焚死するに至つたと述べ、一代の忠臣高士介之推も懼內の一懦夫となつて居り、范少伯篇に於ては先づ古來后妃の賢奸を辨じ、浣紗記中に絕讚を博せる西施に及び、范蠡は吳を亡ぼした後、西施を伴つて逃れ、橫財積蓄の發覺を恐れて西施を舟から突き落して水葬したと談じ、首陽山篇に至つては商周鼎革の際伯夷叔齊は首陽に隱れたが、其の中の叔齊は遂に節を變じて山を下り、夢に齊物主の國祚興廢、生人福祿の説を聞き、自ら出、山の謬ならざりしを信じたと說き、其の間或、は最初夷齊に從つた假道學の徒を配し、或は山中の豺狼虎豹をして夷齊と語らしむる等、作品の架空性と幽幻味とを添へるに苦心してゐる。

諸作皆講史書としては史實を枉けて曲筆毒舌を揮ひ、眞に名敎の罪人たるを免れない。併し歷史小說として深く之を味はふと作者の微意のある所は別に存するのである。卽ち首陽山篇の總評にも「滿口詼諧、滿胸憤激、把世上假高尙、與狗彘行的、委曲波瀾、層層寫出」と斷じてゐる如く、本意は史上人物の是非よりも寧ろ當世の世態人情にあり、介之推を借つて婦人の妬情を說き、范大夫を借つて權謀術數の士を說き、夷齊を借つて節義の士を說いたもので、創作態度より云へば何れも問題小說に屬するものであり、極めて高度の文學作品である。一面之を以て一種の人情的歷史觀であるとも見られるかも知れないが、此の點は世上史家の觀察を俟つことゝしやう。少くとも後世の補天石傳奇の類とは撰を異にするものである。 首陽山篇の如きは如何にも明の遺民の筆たるを思はしめるものがあり、問題其のものも大きく、叔齊の心理描寫も微細に亙り、末段齊物主の語として、

「衆生們見得天下有商周新舊之分、在我視之、一興一亡、就是人家生的兒子一樣、有何分別、譬如春夏之花謝了、便該秋冬之花開了、只要應着時令、便是不逆天條、若據頑民(指擧兵抗周之徒)意見、開天闢地、就是個商家、到底不是、商之後不該有周、商之前不該有夏了、你們不識天時、妄生意念、東也起義、西也興師、却與國君無補、徒害生靈、—(中略)—從來新朝的臣子、那一箇不是先代的苗裔、該他(指夷齊)出山、同着物類、生生殺殺、風雨雷霆、倶是應天順人、不失個投明棄暗、」

と云ひ、頑民の「天下塗炭、上天好殺」の怨聲に對し、

「生殺本是一理、生處備有殺機、殺處全有生機、爾輩當着場子、自不省得、」

と云つた點など支那歷代の鼎革理論として珍しいことではないが、面白い言ひ廻し方である。 本篇のテーマは讀者により二樣の解釋があり得るが、其の思想的内容はも早や思想家の領域に屬することである。 兎も角此の種の歷

史小說は材料に用ひられた古人こそ迷惑千萬であり、大衆小說としては最も不向きなものである。

以上歷史小說として論じたものは史上著名の人物を取扱ひ、事の天下國家に關するものを主とした譯であつて、他にも此の類に近い作としては、醉醒石の恃孤忠、矢熱血、京本通俗小說の拗相公等があるが、便宜上後述することゝした。全體より見て話本には歷史小說的なものが甚だ少い。此の點は宋代の創始期に於て講史に對する小說として起つたことにもよるが、一面短篇の性質上史實の敷衍に適しないことにもよる樣である。發達の過程としては先づ傳奇的作品が生れ、一轉して勸諷的作品となり、再轉して問題小說的作品となつて居り、其の間逐次大衆性を失つて行つたことが判る。

第五節　風世類

第一項　理想小說

理想小說以下の、風世類は創作年代より見れば殆ど明淸文人の作が大部を占め、文人話本の最盛期より衰滅期に跨り、話本發展史上の最後の段階を物語るものである。實に話本文學は靈怪に始まつて風世に終つたと云つてもよいのである。（尙說公案的要素は順序としては遙かに風世に先んずるものであるが、論述の便宜上次節に置いた。）風世類の諸作を作品の風格より觀れば風意あるが爲に文學作品としての風致を多少害せるもの、寓意によつて其の風格を高からしむるもの、構想敍法文辭優れ風意の有無を度外視するも尙獨立の意義を有するもの、寓意を以て作品價値の樞軸とせるもの等の諸階段を見ることが出來る。故に同じく風世の作であつても、主意の高級低俗の別にもよることながら、風意を活かすか殺すかは作者の工夫と技倆とによつて分れてゐる場合も少くない。併し一般に文學作品として見る時は餘り風意のみに拘泥し過ぎると作品の眞價のある所を却つて失する恐のあることは前にも斷つた通りである。

風世類中最も早く發達し最も作品の數の多いのは何と云つても理想小說

である。蓋し話本の創作が、苟も社會の木鐸を以て任ずる文人の手に歸すれば、此等の作家が何等かの程度に於て先づ倫理的理想の社會又は人生の各種の素描を以て直接世の風教に益せんことを願ふのは當然である。鑒戒、諷刺、說理等の如く、表現の廻りくどく勞多くして大衆的效果少き風世手段よりも、單刀直入表現の明快にして感銘の鮮明なる理想小說が最初に尊ばれ最後迄大衆的勢力を持續したのは文人話本の大衆性の一面を證據立てるものである。理想小說は其の題材より幻想的なるものと然らざるものとに分つことが出來る。以下順次諸作の內容を檢討しやう。

幻想的理想小說の始祖は欹枕集の羊角哀死戰荊軻、死生交范張鷄黍の二篇である。共に簡朴の辭を以て古代信義の士を語つたもので、固より後世の德義心を以て律すべき故事ではない。實に理想小說の開祖としてふさはしい作である。西湖二集の姚伯子篇は孝子姚伯華の事を述べ、祖統制篇は慈善の士吳瑊の行狀を記し、豆棚閒話の黨都司篇は忠義の士黨團練が死して尙奸人を斃せることを語り、奇聞の張貞婦篇は歸震川集に見ゆる張氏の女の死節の事を記し、何れも幻想を以て情節を粉飾したものである。此等の作は體裁は多くは小說と云ふよりも寧ろ白話で記した傳記に近い。唯張貞婦篇は稍〻小說らしいが、文辭は餘り精彩はない。

一般理想小說の原始形態は清平山堂話本の陰隲積善篇に見られ、林秀才が遺珠を還して及第した事を說いた物語である。此の種の陰隲の思想は極めて根強い民間の信仰を反映したもので、理想小說の一基本型となつてゐる。

三言に現はれた理想小說は大體四種の作品形態より成つてゐる。其の一は知己の感激又は義烈の士を寫したもので、奇觀の吳保安篇、通言の兪伯牙篇の二作は羊角哀一流の烈士物語、知己物語であり、奇觀の沈小霞篇は沈小霞の一家再會の物語に義俠の士を配し、恆言の兩縣令篇は孤女石月香の姻事を全うした二縣尹の高義を稱し、二篇共に情節に苦心の跡が見える。其の二は陰隲積善篇の系統に屬する陰隲物語で、通言の呂大郎篇は還金得子寶卷として も著名な故事であり、陰隲談に部分的に謀計趣味を配して鑒戒、諷刺作品としても面白く、恆言の施潤澤篇は施復の善行を中心として陰隲思想の最も徹底した代表作であり、劉小官篇は一面慈善家讃美の物語であると共に、一面女子の男装に本づく姻縁の奇を説いた變裝・謀計小說の一種であり、風意の外にも作品意義の發揮せられた名作である。其の三は全面的謀計趣味を基調とした理想小說で、通言の趙春兒篇は曹可成が妓趙春兒を娶り、春兒の苦辛經營で一放蕩兒であつた曹が一家を再興するに至つた物語であり、恆言の徐老僕篇は同一筆法の義僕物語である。此の二作には呂大郎、劉小官等の樣な滑稽味は全然見られず、人生の奮鬪を教へた極めて眞摯な作品となつてゐる。其の四は夫妻の節義物語の基本型となつたもので、恆言の陳多壽篇は朱陳二家の姻事を主題とし、朱多福の守節を讃し、多少運命論的に傾いてゐるが、情節の奇なるを以て作品の味を添へてゐる。以上三言の諸作は先づ一般理想小說發展の第一期に屬し、各形態の作品が出揃つた所と見られる。

初拍の李克讓、袁尙寶の二篇は共に陰隲思想を根柢とし、後者は說理化して妙味に乏しいが、前者は托妻、寄子、娶妾、生子、婚姻等の諸事件を錯綜せしめ、施潤澤篇等とは別趣味な作となつてゐる。顧阿秀篇は高公の高義を背景として崔英、顧氏の數奇なる夫妻離合物語を演じ、沈小霞篇の筆法を言情に應用した樣な形で、言情小說として構想の妙を盡してゐる。 俠心篇の石珮珩、裴翠翹再會の情節なども本篇に學んだ所が多い樣である。 西湖二集の徐君寶篇は徐君寶の妻金氏が軍中に捕へられて池に投じ、徐も其の後を追つて投身した烈々たる夫妻節義物語であるが、又通言の樂小舍篇と共に話本中の純情小說の雙璧とも言ふべき作である。 俠女散財殉節篇は主母を救ふ爲自刎した蒙古人の烈女子を讚し、末段に作者は世上士大夫の失節者流を痛罵してゐる 此等の作は大體理想小說の第二期を形成するもので、第一期の各作品形態を繼承し、其の理想主義を徹底させて洗錬せられた作風を示してゐるが、一面大衆性は薄れ、文人化の傾向が顯著となつてゐる。

進んで醉醒石に入ると、理想主義の舞臺も大きくなり侃々諤々の辭を馳せた作が見られる。 救窮途篇は姚知事の陰隲と淸廉とを語つて、半面に吏弊を痛論し、恃孤忠篇は劉巡檢父子討賊の事を述べて其の忠節を奬し、半面に當時の文武官の通弊を彈劾して居り、二作共に理想小說でもあり、又官場の醜狀を寫した譴貴小說でもある。 矢熱血篇は姚指揮の忠節と其の妻妾の死節と撫孤とを稱し、秉松筠篇は烈女程菊英死節の事を記し、濟窮途篇は義俠の士、浦其仁の事を記して情節稍〻波瀾に富み、人情の美を描いた作である。 諸作皆理想小說文人化の極致であつて、主意のある所は實に堂々たるものであるが、小說としては概ね稍〻潤ひに乏しい嫌ひがある。 此の類の作は理想小說の第三期に屬するものである。 又貪歡報の王有道篇も時期は此の第三期に相當するか、內容は柳秀才の柳下惠式の隱德を稱し王有道の疑心を配した故事であり貪歡報中唯一の不貪歡報を語つた理想小說で、既に理想主義末期の機運を開いた作と見られる。

次で清代になると理想主義の局面轉換が行はれ、第三期の行詰りが打開されてゐる。 十二樓の生我樓は其の代表作である。 此の作は趣考を重んじた十二樓の中にあつては最も平凡な出來榮えであるが、從來の理想小說に比べると全然面目を一新してゐる。 梗概は

「宋末の亂世に尹厚夫妻の一子樓生が幼時失踪し、尹は老ひて子なきを憂

ひ、貧民に扮して『賣身作父』の招牌を掲げ、諸方を流浪して、善良な孤兒姚繼に會ひ、父子となり、流賊に劫せられた老妻及び繼の許婚の婦と際會して、共に家に歸つた後、姚繼が實子樓生であつたことが判つた。」

と云ふ物語で、骨肉の情が主題となり理想の對象は主として姚繼の人となりにある譯であるが、作品の興味は寧ろ尹厚の苦心と全篇を構成してゐる作者の趣考とに存してゐる。卽ち部分的な謀計の外に全篇が一種の謀計的技巧の上に構成されてゐるのである。謀計趣味の復活の點に於ては三言時代の理想小說への復古であるが、作品の味は全く異つてゐる。又第二期、第三期の諸作の樣な糞眞面目な創作態度は餘り見られず、作者は殆ど超然として物語の局外に立つてゐる。笠翁の作品に就ては後にも詳論する筈であるが、餘裕派又は遊戲派とでも云ふ樣な態度が見られるのである。

又豆棚間話の藩伯子篇は先づ陰德の說を掲げて、一富家の子が少時浪費癖の爲、人を救濟し家產を蕩盡して乞食となり、後又人に救はれて榮達した事を語り、小乞兒篇は乞兒吳興が平素母に孝を盡し、遺金を拾はず、人の子を賣るを救ひ、官に表彰されて家を興した事を說き、何れも陰隲の思想を主題としたものではあるが、取材の奇拔と艾衲居士一流の諧謔と逆說的筆法とを以て初期の諸作とは全く異つた趣を出した作である。　生我樓及び此の二作の如きは明末諸家の立場から一歩退き、テーマの握み方と寓意の現はし方とに新工夫を加へて理想小說の新分野を開いたものであつて、理想主義作品としての大衆性は他の要素の爲著しく覆はれるに至つたのである。　此の類の作は理想小說の第四期をなすものである。

　次に第五期に屬する奇聞の諸作を觀察すると、吳保安篇は吳保安の事と優人唐六生が知己の恩に報ひた事とを記し、曾公子篇は曾公子の義俠的行狀と後年に其の餘慶を得た事とを說き、康友仁篇は財色を戒めた陰隲物語二則を揭げ、曹孝子篇は悌孝の故事二則を說き、其の中曹孝子の事は西湖二集の忠孝萃一門、石點頭の王本立諸篇と同類の物語であり、窮秀才篇は慈善に關する陰隲談二則を述べたものである。　其の中小說として描寫の稍〻佳なるは曹孝子篇、情節の稍〻錯綜せるは曾公子篇のみであつて、他は極めて通俗的な作であり、陰隲思想の盛なことも注目すべき點である。理想小說は玆に至つて第一期の活氣を缺き、第二第三期の洗錬を缺き、第四期の雅味を缺き、小說としての末運に逢着したのである。

理想小說の變遷過程は略〻以上の如くであるが、其の中の明末の作と淸初の作との對照は一面亂世の文學と干戈收息後の文學との對照であり、社會の諸相と作家の心境とに大なる差異のあつたことを語つてゐる。全體より見て理想小說を一貫する思想としては陰隲の說が最も勢力を占め、其の他忠孝の觀念、知己朋友の信義、夫妻の節義、一般的な義俠、慈善(此の二項も陰隲說の一面たることが多い)が重要な要素となつてゐる。文學作品として見れば大衆的な幻想、謀計等の各要素が多く用ひられ、個人の傳記の形に似たものも少くない。作風は概して浪漫的でもなく、寫實的でもなく、理想主義的とでも呼ぶべきであるが、總體に風意の一點に凝り過ぎたものは小說としての感覺を減じてゐる場合が多く、風意以外の諸要素の取捨運用の如何は此の類の作品に於て重大な意義を有するものである。

第二項　鑒戒小說

鑒戒小說と理想小說とは恰も盾の兩面であり、後者が表に當るに對し、前者は裏面に相當する爲、風世作品としての大衆性は減じてゐる。　鑒戒小說にも幻想的作品と一般作品とがあるが、幻想的作品の勢力が理想小說の場合に比し著しく大きいのは注目に値ひする。

先つ幻想的鑒戒小說を見ると、通言の桂員外篇は施、桂兩家の隆替を描いて、桂の忘恩振りと其の妻子が轉生して犬になつた事とを語つた通俗作品であるが、世相の描寫は微細に亙り、初拍の酒謀財篇は小說としては之よりも稍〻劣り、殺人、强盜の公案に絡まる通俗的な靈魂訴寃物語である。　石點頭の貪婪漢篇は貪財無恥なる吾愛陶の一生の行狀と悲慘なる末路とを描き、人間貪財心の深刻なる解剖であり、殊に末段に汪商が六院に遊んで昔日の鬱憤を晴らす所などは諷刺揶揄の妙を極め、文辭も概して精彩に富んで居り、自怡軒主人は其の後段を評して「如畫地獄變相、令人警醒」と云ひ、鄭氏も「寫得很生動、結構也比較得不佷壞」と評されてゐるが、此の書中の作としては必ずしも至れるものではない。西湖二集の李鳳娘篇は宋の光宗の時の李貴妃の酷妬專橫と其の狂死とを寫し、人をして目を背かしめるものがある。以上の諸作は立意は通俗的であるが、酒謀財篇を除き、概ね寫實的筆致に優れ、此の類の作の第一期をなすものである。

醉醒石の高才生篇は人虎傳の故事を演じ、穆瓊姐篇は通言王嬌鸞篇の入話にも取られた妓穆瓊瓊が鬼となつて負義郞を誅した故事を演じ、貪歡報の孔良宗篇は孔西賓の亂行、失館と其の末路とを語り、謀計趣味を混へて情節の錯綜を計つてゐる。前二者は幻想的構想に於て、孔良宗篇は謀計と傳奇的趣味とに於て稍〻興味を呼ぶが、風意著しく露骨となり、殊に高才生篇の如きは題材及び問題に於て純文人化し、此の類の第二期に當つてゐる。

奇聞の胡君忘恩篇は林、胡二家の姻事と胡の忘恩とを說いて桂員外篇の構想を踏襲し、謀葬地篇は陰員外が朱漁翁の良地を謀取して天譴に遭へるを說き、謀計趣味と地理よりも天理の重んずべきを象徵して風水說の謬を斷じた點とが興味の中心となつてゐるが、二作共に小說的感興は薄れ風世の一路に走つて、幻想的鑒戒小說の末期作品たるを示してゐる。

以上の諸作に現はれた幻想の內容を檢討すると、加害者が被害者の寃魂に報復されたもの四件、鬼に復讐されたもの二件、惡人が轉生して犬となつたもの三件(內一件は寃魂と倂用)、倨傲者が虎に化したもの一件を算し、此の點では作品の大衆性を如實に示して居り、又前述の幻想小說、艷情小說等に用ひられた幻想と大差があるのも創作目標の然らしめる所である。

一般鑒戒小說は清平山堂話本の刎頸鴛鴦會より始まつてゐる。本篇は一淫婦の亂行の一生を描寫し、啻に風世作品としてのみならず、寫實的人情小說として馮玉梅の對蹠點に立つ民間話本中出色の文字である。 奇觀の蔣興哥篇は蔣夫妻を中心とした鑒戒兼人情小說で、情節の錯綜を狙ひ、恆言の盧太學篇は傲骨が災ひして家を破つた盧柟の事を述べて世相の表裏を描き、稍〻高雅な作風を示してゐる。

降つて醉醒石の王錦衣篇は陸指揮が恩人の子たる王公子の園亭を騙取し

た物語で、各種人物の性格描寫と暗諷とに長じ、立意、構想、謀計趣味等の洗錬せられた點は此の書にあつては稍〻異色に屬し、其の作風は明かに十二樓の先驅となつてゐる。單に鑒戒小說として穩雅なる佳作たるに止まらずして、問題小說又は謀計小說としても興味ある作である。豆棚閒話の漁陽道篇は劉豹が金を失つて賊となり刑せられる迄の經路を語つた心理描寫小說である。最後の奇聞の脫網羅篇は鑒戒小說中の稍〻變態に屬するもので、內容は人道無視の惡醫麻希陀が其の祕密を知つた西賓賈任遠の逃亡によつて捕へられた物語であつて、主意は世の惡醫を彈劾するにあり、多少問題小說的でもあるが、事件が既に獵奇的であるのみならず、構想敍法共に近世の怪奇犯罪小說又は空想科學小說に近い雰圍氣を釀し出してゐる。蓋し本篇は風世的大衆小說としてよりも理智的大衆小說として成功したものである。

以上の諸作は鑒戒小說としての大衆性に於ては到底幻想的作品に及ばず、寧ろ寫實的、諷刺的、問題小說的、謀計的な方面に筆力が注がれてゐる。又鑒戒小說全體としても理想小說の鮮明な理想主義とは異なり、一般に寫實的に傾いてゐる爲、大衆性には乏しいが、文學作品としては理想小說よりも比較的高度のものが多い。

尙理想小說、鑒戒小說の概念は狹義道德上の善惡の批判外の各種の人生問題をも含むものであるから、所謂勸善懲惡小說の概念とは完全に一致するものではないが、特に鑒戒小說の中には餘り懲惡的でないものも多く見られる譯である。

第三項　諷刺小說

鑒戒小說の寫實性は諷刺小說になると更に深刻となり、若干自然主義的傾向を帶びてゐる。人生の觀察も鑒戒小說よりは冷靜であり、風意も率露を避けて辛辣さを增してゐる。題材上から見ても民衆的なものよりは寧ろ文人作家自身の關心を有する官場、儒林等を舞臺としたものが多い。作風上一般諷刺小說と滑稽の辭を雜へた諧謔小說とに分つことが出來る。

一般諷刺小說の源流は淸平山堂話本の快嘴李翠蓮記より發してゐる。作品の體裁は唱本であつて話本ではないが、翠蓮の快嘴癖が父母、兄嫂、轎夫、媒人、公婆、舅嫂、小姑、小叔を罵倒し盡して世の容るゝ所とならず、薙髪出家した經路は一面笑話に類する滑稽味もあり、一面沈痛な人生問題でもある。固より嬌縱不羈翠蓮の如き一女子と繁縟瑣屑なる家族制度との正面衝突によつて起つた深刻な笑話であつて、鄭氏の評に「雋爽可喜」とあるのは要を得た一語であるが、作者の意のある所は民間作品の事であるから知る由もなく、諷刺作品でもあり、又鑒戒作品、問題作品でもある。本篇に於ても我々は民間文學通有のたくまざる表現を見ることが出來る。

通言の莊子休篇は婦節に對する諷刺作品であり、又變裝謀計小說であつて、莊子寓言の筆法を借りて諷刺小說の一體を開いた作である。

初拍より醉醒石に至る各書に現はれた諷刺作品は悉く官場、儒林に材を取り、說部の作を以て作者胸中の磊塊を澆いだものとも見るべきである。初拍の錢多處篇は一富戶の納金得官と印を失して稍公に零落した末路とを語り、說理鑒戒を兼ねた痛烈な諷刺小說であり、石點頭の感恩鬼篇は一女鬼を借つて、仰、鄭二生の中不中の命數を説き、貢學の弊を指摘し、西湖二集の愚郡守篇は愚人趙雄が僥倖に次ぐに僥倖を以てして位宰相に登つたことを語り、表面説理作品の色彩濃厚であるが文辭は諷刺揶揄に富んでゐる。

右の數篇に比し西湖二集の巧妓佐夫篇に於ては諷刺作品として更に一段進化した筆法が用ひられてゐる。　梗概は

「秦檜の盛時臨安の妓曹妙哥は太學生吳爾知が至誠の人なるを見込み、貲を出して賭博をなさしめ財を集め、人を雇ふて詩文を作り刊せしめて名を賣り、秦檜門下の士と交はり情實によつて進士となり官を得、名を成さしめ、檜の無道甚しきに及んで、官を辭し姓名を變へて逃れ隱れた。」

と云ふ處世の裏道を描いた作である。　曹が吳に讀書を勸めずして賭博を教へ、詩文を習はしめずして代作者を雇はしめ、忠賢の士と交らしめずして姦臣の門に馳せしめ、而も其の終を善くしたと云ふ點は理想小說、鑒戒小說としては全く不合格な作品で、前數篇とも根柢的に揆を異にする所である。　全篇のテーマは實に嘲世諷人至らざるなきものであり、技巧の點から見ても吳の一

生は悉く曹の賜物であつて、大規模の謀計趣味の徹底した作である。　蓋し西湖二集の作者としても得意の筆であり、集中にあつて話本小說としての特色を遺憾なく發揮した隨一の名作である。

　醉醒石の失燕翼篇は金力で官を得た呂纉紳が其の五子に自己の顰に傚はしめんとしたが、諸子皆不肖にして家を破つたことを說き、風意のみならず、描寫も稍〻面白く、維內維貨篇は貪官と其の閫威の弊とを寫し、等不得篇は窮秀才蘇生の妻が夫を罵つて酒家郎に再嫁し、後蘇の榮達を見、人に嘲られて自縊したことを說き、末尾に作者は「敢以告讀書人宅眷」と云つてゐる。　三作共に諷刺に止まらずして、譴責の意稍〻濃厚である。　錢多處篇より等不得篇に至る諸作は後世官場小說の先驅であり、當時の官場の一斑を描いたものとも見られ、莊子休篇の後を受けて一般諷刺小說の全盛期を形作つてゐる。

　降つて貪歡報の伴花樓篇になると題材は一轉して艷情に入り、柏靑、花仙の相互錯認より王卞、白小姐の姻事に至る迄情節錯雜し、殊に其の間柏靑の斬殺によつて疑獄を構成したりして居り、主意のある所は癡兒柏靑の癡によつて一命を失へるを諷した譯であるが、全體の作風は輕妙にして戲謔に近く、技巧を骨子とした傳奇的艶情小說の體裁を具へてゐる。唯小說としては稍〻纒まりの惡い作である。

十二樓の拂雲樓は此の形態の更に洗錬せられた作と見られる。梗概は「裴七郎は韋家との婚約を破棄して富家封氏を娶り、封氏が病死して再び韋氏の女を聘せんとしたが、韋家の拒絕に會ひ、女の婢能紅の策謀により、算命家張鐵嘴を買收して姻事を諧した。」と云ふ物語で、啻に傳奇的艶情小說の舊套を一蹴したのみならず、作者の着眼點は婚姻問題の根柢に觸れ、辛辣極まりなき諷意を包藏してゐる。能紅の祕策により鐵嘴の口より出た僞妄附會の八字解說は謀計其のものとしても奇想天外の着想であらうが、一面八字說の因習を徹底的に愚弄した譯であつて、唯之を正言せずして諧謔にまぎらしたに過ぎない。（算命家の買收は食歡報の乖二官篇などにも行はれてゐるが、內容は相當異つてゐる。）又裴が始に韋の貧を厭ふて封の富に走り、後封の醜を嫌つて韋の美を慕つた心理なども人情の免れ難い所であり、作者用意の存する點と見られる。此の一篇は言情作品としては甚だ面白くないが、諷刺小説としては見るべき作である。

豆棚間話の大和尙篇は僧死灰が李元帥の錢糧を拒み憎まれて焚殺され坐化を裝はれたことを語つて、僧侶社會の內面暴露を試み、虎丘山篇は賈淸客が人を騙さうとして自ら災を招いたことを說いて、淸客階級を揶揄してゐる。伴花樓以下の諸作は諷刺小說が官場より脫出して他の各方面に鋭鋒を向けたことを示してゐる。

諧謔小說は一般諷刺小說に比べると著しく輕妙洒脫の趣を具へてゐる。恆言の錢秀才篇は替玉婚姻物語として既に著名であり、後來の才子佳人小說に其の筆法を傳へたものと見られる。醉醒石の假虎威篇は奴僕出身の王勤が諂諛によつて官を得、忘恩負義貪婪の極、鎭江の秀才連と悶着を起して失脚した一生を敍し、滑稽の辭を以て假斯文の小人を罵倒したもので、官場の醜態を遺憾なく摘發してゐる。照世盃の走安南篇は賈人杜景山が無賴の公子胡衙內に災ひされて安南に奔走し、猩々絨を購ひ歸つた物語で、杜が胡の手より得た玉馬が線索となつた說理小說であり、又海外奇談でもあるが、一面官家の愚公子を諷した痛快な諧謔小說である。掘新坑篇は鄕村の一慳吝老人と其の子との生活を寫し、末段は理想小說的筆致を以て穩かに收められてゐるが、全篇瑣屑鄙俚な點に於て諧謔小說の能事を盡した作である。題材は老人の糞坑經營と其の子の賭博生活とが中心となつて居り、描寫も極めて細かく、話本中には全然其の類を見ず、作品の系統は明かに斬鬼傳、何典の類に屬し、篇中の一部には斬鬼と同じ挿話も見られる。話本中の諷刺諧謔小說の末尾に位するものとして內容も最下品迄落ちてゐるのは面白い點である。尙說公案類に收めた美人局小說の如きも、其の風世的要素より見れば概ね諧謔小說の一體と見られる。

以上に述べた諷刺作品中、大衆性に富んだものは初期及び末期の數篇に過ぎず、一般に作風としては雋銳又は深刻な觀察が重んぜられ、文學的氣品の高い作が多い。從つて幻想趣味を交へたものは莊子休、感恩鬼、維內維貨の三篇、謀計趣味の優れたものは莊子休、錢秀才、巧妓佐夫、拂雲樓の四篇程度に止まり

(但し其の中後の二者は大衆的謀計趣味とは云ひ難い)、他は多く長篇小說の風世類と相似た筆法に成つてゐる。卽ち話本小說の文人化は諷刺作品に於て特に著しいものがある譯である。

第四項　說理小說

說理小說の名稱は多少漠然とした嫌ひもあるが、第二章にも斷つた如く、大體に於て理想、鑒戒、諷刺等の態度に成ると云ふよりも寧ろ作者の人生觀の表現と見られる作品を總稱したものである。故に前數項の作品に比し創作態度は槪して著しく自然主義化し、活氣ある理想主義的色彩は殆ど認められず、沈鬱陰慘の氣を帶びた作が多く、風世類中にあつて別に一幟を立てたものと見られる。作風上、稍〻通俗的、鑒戒的なもの、塞翁の馬に類する運命、命數の奇を說いたもの、更に深刻なる自然主義的人生觀察を加へたもの等よりなつてゐる。說話の內容は奇譚、奇聞の類が多いが、其の奇なる所以は理想主義作品の謀計趣味に本づく人爲的奇譚と異なり、運命論的諦觀主義に本づく自然的奇譚たる點にあり、兩者は自力と他力との兩極端に立つ人生觀察の二つの立場を示したものと云ふことが出來る。說理小說には題材より見て幻想的作品と一般作品との二系統がある。

幻想的說理小說は總て寓言より成つてゐる。西湖二集の文昌司篇は羅隱の傳記を粉飾し、鑑戒の辭を交へて運命論を演じたもので、一般說理小說中の運命論作品と同趣味の作である。初拍の王大使篇は盜賊出身の李生の受戮の始末を語り、轉生による因果應報の理を以て之を說明し、一面幻想的鑑戒の意をも兼ねてゐる。西湖二集の月下老篇は之を男女姻緣の問題に應用し、不遇の閨秀詞家朱淑眞の傳を小說化したものであるが、其の主意は包公案の巧拙顚到を尙一層通俗化したものと見られる。貪歡報の吳千里篇に至つては此の筆法の更に徹底した形態を示し、辭は荒唐に似て而も暗澹陰慘の氣に滿ちてゐる。梗概は

「萬曆中浙江の一兵士吳千里が戰場より戰死者の懷中を物色して得た大金を携へ、完婚の爲歸鄉の途、陳棟と僕小二とに謀殺され、陳家は俄かに富み

小二を繼子としたが、三年後貧家何立の三歲の兒を貰ひ受けて「三元と名づけ、翌年陳は午睡中三元に小刀で臍を刺されて變死し、三元は長じて小二と仲が惡く、其の舊惡を聞いて官に訴へ、小二は捕へられ、三元は吳の屍を得て祭り、仙乩によつて自ら吳の轉生なるを知り、吳の聘定せる女が尙守節せるを娶つた。」

と云ふ幻想的構想より成り、一面通俗的鑒戒の作意も明かてあるが、其の妖幻な運命論的筆致の呼ぶ鬼氣は怪奇犯罪小說に似た迫力を具へてゐる。

一般說理小說の中、京本通俗小說の拗相公篇は王安石を譏つた歷史小說兼譴責小說であるが、說理的筆法が多く用ひられ、通言の王安石篇は王と蘇との應酬を借つて聰明を衒ふ者(蘇を指す)を諷し、初拍の劉東山篇も之と同じ手法を以て武技を誇る者を揶揄して居り、何れも鑒戒の意を交へた說理作品である。

通言の兪仲擧、鈍秀才、老門生、西湖二集の巧書生諸篇は皆文人の遇不遇の命なるを說いたもので、老門生篇は稍〻理想鑒戒に亙り、巧書生篇に至つては命數の如何ともすべからざるを痛嘆して、作者の不平を爆發させた觀を呈してゐる。初拍の轉運漢、訴窮漢の二篇は既に奇觀によつて著名な奇談であり、後者は又元曲看錢奴としても知られた物語であつて、共に市井に材を取り、前者は快活にして童話的、後者は沈鬱にして諷意を帶びてゐるが、何れも大衆的運命論作品である。

初拍の陶家翁篇は蔣震卿が一時の戲言により偶然妻を得た經緯を記して姻緣の數奇なる一端を寫し、運命論作品として理想主義に明かに叛旗を飜した作で、鄭氏の評に「蔣震卿的得妻、又寫得如何的眞切而近情」と云ひ、又氏は才子佳人物語の平凡性を論じて後「在陶家翁大雨留賓裏、却把這個打不破的慣例打破了、私奔的小姐却終於跟隨了誤認的才子而去」と激賞され、作者用意のある所をよく說破されてゐる。此の作は眞に自然主義の徹底した例であり、一面深刻な問題小說でもあるが、仔細に檢討すれば、題材は稍〻獵奇的惡趣味に墮し、偶然犯罪小說に近い僞似惡魔主義的傾向を帶びて居り、明末通俗傳奇の浪漫性に換ふるに自然主義性を以てした觀なきを免れない。固より大衆性絕無の純文人作品である。

十二樓の十巹樓は陶家翁篇と對蹠的な手法を以て同じく姻緣の奇を說いた說理作品で、彼が倉卒の姻緣に惠まれたるに比し、此は第十回目の姻事に於て第一回の妻を再娶し、漸く琴瑟相和するを得て居り、自然主義作品たると共に其の筆致に於て稍〻深刻なる人道主義的傾向を窺ふことが出來る。兩者の作品印象の差は卽ち二作家の人生觀の差によるものと云ふ外はない。唯本篇に於て卷頭に仙筆を以て十巹の二字を掲げ、最後に其の所以を說明した點などは大衆的趣考をなすものであつて、笠翁の常に大衆性を忘れざる心掛が現はれたものと思はれる。

豆棚間話の朝奉郞篇は汪華が少時呆痴にして揮霍を好み一豪傑を助けた爲、後、吳國公となつたことを語つた逆說的な說理作品である。陳齋長篇は陳齋長が儒說に本づいて佛老の邪を論じたことを記し、殆ど議論文で小說の體をなしてゐないが、暫く此の部類に收めることゝした。

以上の諸篇を通觀すると、幻想的要素、鑒戒的言辭、構想上の趣考等によつて大衆性を繫いだものは見られるが、諧計趣味を以て興味を呼ぶものは一篇も見られない。要するに風世作品としての大衆性は此の類に於ては著しく壓縮せられ、其の風世要素は專ら內省的、潛在的となつて居り、作風も亦文人的、高踏的に傾いたものが多い。

第五項　問題小説

風世類中の最後に置いた問題小說は理想、鑒戒、諷刺、說理各體の何れにも所屬せしめ難く、人生問題の把握提出を以て其の創作意義の存する所と見られる諸作を總括したものである。（固より分類法が多岐多端に亙つてゐる爲、既述の諸篇にも此の傾向のものは少くなかつたし、說公案類にも尙多くの問題作品を殘して居り、分類の寬嚴輕重宜しきを得ない點もある。）勿論此の類の作と雖も文人話本の常として勸戒の辭を以て始まり、勸戒的結末を以て結んだものが多く、作者自ら問題小說と號してゐるものは殆どないのであつて、題材、情節、筆致等を檢討し、愚見を以て之を定めたに過ぎない。中には一見純然たる理想小説の觀を呈し、作者の口吻も亦理想主義を以て一貫した樣なものでも、其の問題の性質によつては之を問題作品と認めたものもある。

問題小説には作風上より見て浪漫的なもの、幻想的なものは比較的乏しいが、理想主義、寫實主義、自然主義、惡魔主義等の各種の傾向を帶びたものが見られ、技巧上より見れば多種多樣の謀計を配した作に富み、犯罪小説、探偵小説、復讐小説等として傑出したものも少くない。併し此等の作風、技巧の更に根柢を窮へば、其の終を善くすると善くせざるとに拘らず、何れも悲痛深刻なる人間生活の惱みを描き、耐へ難き憂憤苦惱に奔走する人生の諸相を寫したものであつて、其處に一貫して流れる文學思潮を若し一語を以て要約すれば人生批判的意義に立脚せる人道主義とでも云ふべきてある。故に此の類の作を以て若し風世手段の一なりとせば、最も深刻鋭利なる風世作品と云はなければならない。理想小説、警戒小説等の通俗的なるに比し、問題小説に至つては既に風世作品としての大衆性を殆ど喪失し、純乎たる文人文學化したものである。

今、問題小説を論ずるに當り便宜上問題の性質によつて第九表の如く之を六種類に大別した。 婚姻問題の中には艶情、姻緣等に關する問題をも含み、夫妻問題の中には夫妻の節義問題以外に各種の附隨問題をも含み、父子問題は慈孝の觀念を中心とし、愛慾問題、斷袖問題には之に附隨する夫妻其の他の問題をも含み、思想問題には前五種以外の各種の思想が主題となつてゐる。 表中括弧内に示した所は作中に作者自らの辯明せる創作態度であつて、或る程度迄作品の外觀を粉飾してゐる要素である。

第九表　問題小説分類表

一、婚姻問題小説

(石)5 莽書生(鑒戒)　(石)6 乞丐婦(説理)　(石)13 唐玄宗(説理)

(樓)1 合影樓(鑒戒)　(樓)2 奪錦樓(鑒戒)　(閒)20 唐淑女(理想)

二、夫妻問題小説

(恒)19 白玉孃(理想)　(石)2 盧夢仙(理想)　(石)10 王孺人(説理)

(石)11 江都市(理想)　(樓)9 鶴歸樓(理想)　(樓)10 奉先樓(理想)

(閒)15封氏女(理想)

三、父子問題小説

(拍)13趙六老(鑒戒)　(石)1郭廷之(説理)　(石)3王本立(理想)

四、愛慾問題小説

(通)35况太守(鑒戒)　(拍)17西山觀(鑒戒)　(石)4瞿鳳奴(鑒戒)

(貪)3李月仙(鑒戒)　(貪)7陳之美(鑒戒)　(貪)8鐵念三(鑒戒)

五、斷袖問題小説

(石)14潘文子(鑒戒)　(樓)6萃雅樓(鑒戒)

六、思想問題小説

(樓)5歸正樓(説理)　(豆)8空青石(幻想)

此の表によつて明かな如く、夫妻問題に於ては大部分理想小説の體を取り、愛慾問題、斷袖問題に於ては悉く鑒戒小説の體を裝ふてゐる點などは話本作家が如何に倫理的觀念を以て作品の粉飾に力めたかを示すものであり、作者が常に話本の大衆性を忘れ得なかつた證據である。又犯罪小說、探偵小說、復讐小說等の體は此の中で大部分、愛慾問題小說に集まつて居り、其の問題の重大性を物語つてゐる。

之を要するに問題小說に表はれた題材は同じく風世類中にあつても通俗的作品とは異なり、單なる倫理慣習上の問題たるに止まらず、人道上重大なる根本問題に觸れたものが多く、人生の眞意義に對する再檢討、再批判を行つたものも少くないのである。前表の順序に從ひ、先づ婚姻問題小說より觀察しやう。

最初に婚姻問題を捉へた書は石點頭である。石點頭は各種話本、集中にあつて最も眞摯なる問題小說的筆致を以て一貫した名著であり、西湖二集の傳奇的趣味、十二樓の謀計趣味と共に創作態度の鮮明なる點に於て其の色を競ふの觀を呈してゐるのである。天然癡叟の人生觀察は一見高僧に似て高僧に非ず、哲人に似て哲人に非ず、基礎に於ては飽く迄文學者の態度に終始してゐる。蓊書生篇は書中傑作の一であり、自然主義の體を借りた問題小說として注目すべき作である。梗概は大要次の如くである。

「廣西の擧人莫誰何は旅途揚州にあつて斯員外の女紫英を陥れて私通し、其の婢蓮房をも伴ひ、祕かに逃れて歸鄕し、三年後官を得て員外を拜したが、員外は先に紫英が一夜出奔せるを知り體面を恥ぢ病死と僞り一時を糊塗してゐた程で、之を見て激怒し紫英、誰何と決絕を言明したので、莫は大いに悔ひ其の二子にも莫我如、莫我似と名づけ餘生謹嚴を守り遂に狂死するに至り、臨終に二人の遭際は前生の種因によると說いた。」

此の作の題材情節は一讀人をして嫌惡の感を起さしめるに餘りがあり、殊に前段の如きは初拍の陶家翁篇は固より、明末傳奇にも比類少き惡趣味を發揮したもので、若し後段の描寫を抹殺すれば一篇の僞似惡魔主義作品に過ぎないが、前後兩段の組合はせによつて其の創作意義が現はれてゐるのである。實に本篇は觀衆の同情を呼ばざる寂しき悲劇である。問題は前段と後段とによつて性質を異にし、又莫、紫英、員外によつて夫々立場を異にしてゐるが、其の本質は通常の私通私奔の是非、名教恩愛の軋轢の域内に限定されるものではなく、人生と人道の根本義に對する深き洞察、檢討、反省を要求する所の問題である。作者の筆致は概して客觀的、自然主義的であり、末段に佛法輪廻の說を引いたのは恰も顧みて他を言ふの態度に似て居り、作者の意中も窺はれ、本篇が鑒戒小說の外觀になる問題小說たることを示してゐる。

乞丐婦篇に於ても作者の婚姻問題に對する觀察の非凡なる一端が現はれてゐる。描寫は說理、諷刺を兼ねた輕妙な自然主義的手法を取り、漁家に嫁して休せられ零落して乞丐となり、人家の廚下に雇はれたる周氏と、呼盧に耽つて落魄し寺中香火の人となり後漸く知己に會ひ好遇せられたる吳生とを敢て配し、吳が賭場に大勝し棘闈に入り官を得、周も亦孺人に封ぜられたるを以て結び、運命論的敍述の裏にも人生、姻緣に對する透徹せる觀察を以て玩味すべき問題を投じてゐる。唐玄宗篇は宮人が征戍の士に纊衣を送れる故事を潤飾し、二兵士の換衣、玄宗の逆鱗、楊妃の惻隱等の枝節を加へて傳奇的物語の說理小說化、問題小說化を試みた作と見られる。此の二作は薛書生篇の陰鬱なるに比すれば、極めて輕快なる問題作品となつてゐる。

天然癡叟の衣鉢を繼ぎ、更に現實的なる社會に對する人道主義的考察の下に婚姻問題の檢討を企てたのは覺世稗官である。 其の拂雲樓、十香樓に就ては既に述べた通りであるが、茲に掲げた合影樓、奪錦樓の二篇に至つては、問題の遙かに現實的なるに拘らず、其の創作目標は錯雜せる大衆的謀計趣味を以て一見巧妙なる僞裝を施されてゐる。 笠翁の作品に技巧過多の弊のあることは既に孫氏の詳論せられた所であつて、屋上架屋の要はないが、若し其の立場を說明すれば、笠翁は文人的創作衝動と大衆的創作態度とを一篇の作品の中に併せ吐露し具現することを以て理想としてゐたのである。 從つて十二樓の作品に謀計趣味の多い點は其の大衆性を代表し、問題小說的筆致の銳い點は其の文人性を代表するものである。 即ち文人文學として見れば其の大衆性は煩はしく、大衆文學として見れば其の文人性は煩はしく感ぜられるのであつて、文人文學兼大衆文學として見れば始めて完作に近いものとなるのである。 笠翁は明代話本の大衆趣味と文人趣味とを各〻極度に迄洗鍊進化せしめて之を併用し、悠揚迫らざる才筆を以て自家の一體を創設した譯である。

さて合影樓の內容を見ると、

「父同志の不和により互に相見る機會のなかつた珍生、玉娟の表兄妹が偶然水中の影によつて相知り相思ふに至り、奇智の士路公の畫策によつて難關を克伏して遂に伉儷となつた。」

と云ふ物語で、卷頭には「男女授受不親」「不見可欲、使心不亂」等の古語を引いて一席辯じた後、

「我今日這回小說、總是要使齊家之人、知道防微杜漸、非但不可露形、亦且不可露影、不是單聞風情、又替才子佳人、開出一條相思路也、」

と斷つてゐる。即ち磨勒、許俊の徒にも等しい人物をも混へて純然たる浪漫的艷情小說の體をなした作品に題して、之を以て名教禮節上の鑒戒となすべしと云つてゐるのである。話本作家の常套手段であるが、其の口吻は全く皮肉極まるものがある。作者は表面自ら鑒戒小說なりと云ひ、作品の形式は謀計的理想小說に類し、內容は純情小說になつてゐると云ふことは作者自ら問題小說なりと號してゐるのと同じことである。作品の性質は莘書生篇と悉

ゆる點に於て正反對であり、問題の內容も異つて居り、彼が徹頭徹尾人の喜ばざる悲劇に終始せるに比し、此は相當大衆性を有する團圓劇であつて、深刻味は少いが、婚姻問題としては現實的、普遍的、第一義的な性質を有することは明かである。又此の作は一面諷刺小說でもあり、謀計小說としても凝つた所がある。

奪錦樓は更に一歩を進めて喜劇的、諧謔的筆法を用ひた輕妙無比の問題作品である。父母の不和により錢氏の二女が四姓と贅嫁を議して紛爭を起し官に訟へられ、官は二女をして其の好む所を選ばしめたが意に當る者なき爲、官自ら計を設けて文字の中より壻を選び袁生が二女を娶つたと云ふ物語で、一面裁判小說ではあるが、官のなした所は卽ち作者の問題批判の態度をも若干示すものである。

奇聞の唐淑女篇は馬家に嫁した唐長姑が疫病により夫と一子とを失つた爲、種々苦慮した末一策を案じ七十の公公に自己の小妹を嫁せしめて宗嗣を得た物語で、一見謀計的理想小說であるが、一面宗嗣を中心とした婚姻問題作品である。

以上六篇の作を其の作風によつて分てば、前三篇は大體自然主義的筆法を用ひ、後三篇は理想主義的筆法を用ひてゐるが、各婚姻問題の種種相を捉へ、其處に現はれた人生の相剋と苦惱とを各種各樣の筆致を以て描いたものと云ふことが出來、其の根柢に於ては何等かの人生問題、人道問題を包藏してゐるのである。就中合影樓、蕣書生の如きは其の代表作である。

夫妻問題小說には夫妻の節義を中心とするものと、其の他の觀念的難問題を取扱つたものとがある。恆言の白玉孃篇は此の類の第一作で右の二要素を兼ねてゐる。內容は

「宋末元軍に捕へられて奴となつた程萬里が同じく、捕虜の白玉孃を配せられ、玉孃は夫に逃走を勸めた爲、人家に賣られ節を守り轉じて尼となり、萬里は後隙を見て逃亡し、二十餘年後元に仕へて榮達し、玉孃を探し出して團圓した。」

ことを語り、謀計的理想小說の體をなした作であるが、其の核心は人生認識上

の重大問題を示してゐる。程、白二人の前半生は實に苦難荊棘の途を歩んだ譯であるが、一面人生開拓の奮闘史でもあり、運命論的人生觀に對する闘爭的人生觀を以て夫妻問題を檢討したものと云へる。但し末段收束の如何は問題の本質には影響はないが、文學作品としての味には大なる變化を與へ得るものであることは確かである。

石點頭の盧夢仙、王孺人兩篇は共に婦節を主題とした二大問題小説であつて、前者は理想小説の體を以て完節の婦を寫し、後者は自然主義的筆法を以て失節の婦を寫してゐるが、共に極めて眞摯なる創作態度より成り、二者對照の妙を盡してゐる。盧夢仙篇は盧夢仙の妻李妙惠が夫の上京中其の死せる風聞を信じた父母の命により他嫁を强ひられ、幾度か死せんとして人に救はれ、後夢仙が榮達して再び團圓した物語であつて、其の完節團圓は一面僥倖にも近いが、夫妻二人の意志も亦預つて力があり、作者が卷頭に樂昌公主、黃昌等の半殘の義夫節婦を引き、篇中に方姨娘の口を借り烈婦、節婦の辯を馳せた點などは其の創作態度をよく示して居り、單なる名教主義作品とは趣を異にしてゐる。本篇は又謀計小說としても優れた作である。

王鼎人篇は作品要素の錯雜せる點に於ては遙かに盧夢仙篇を凌ぎ、王從事の妻喬氏が趙成に拐せられて屈せず、轉じて王從古の妾となり、後數年從古が從事に會ひ祕かに喬氏を還して團圓せしめた經緯は純然たる自然主義的夫妻問題小說であり、趙成が喬氏を拐して轉賣せる辣腕と周玄を誣告せる事件とは二則の周密なる計畫犯罪小說であり、金簪を線索として王從事が趙成を捕へ刑した事情は結構完備せる探偵小說たると共に又復讐小說を兼ね、初に喬氏の夢に見た團魚が謎語を說き後一々驗が現はれ末段に其の解釋を行つた點などは幻想的運命論と大衆的謀計趣味とを兼ねた手法である。全篇暗澹悽慘の氣に充ち、喬氏の一生を繞る人生の苦惱を細さに描いて居り、作者の透徹せる人道主義的觀察の閃めきは文中隨處に現はれてゐる。問題の內容も頗る複雜であるが、玆には煩を避け觸れないことゝする。

江都市篇に於ては問題は前二篇よりも遙かに擴大され、夫妻問題、孝道問題の外に直接人道問題に連切して居り、作者は卷頭に題して「這樁故事、若說出來呵、石人聽見應流涙、鐵漢聞知也斷腸」と云つてゐる。兵馬騷擾蒼生餓鬼道に陥れる慘狀は卒讀に忍びない。愚評は差控へる。

降つて十二樓になると筆致は一轉して餘裕ある作風を示してゐるが、問題の着眼點は敢て石點頭に讓らない。鶴歸樓は知足安分の處世觀を以て夫妻問題の一側面を觀察したもので、萬里に使せる段、郁二人の中、段は安分の人で故意に薄倖を粧つて新婦に別れ、郁は專ら新婦と泣別したが、八年後二人の歸るに及び、段の妻は健康を保ち郁の妻は已に病死してゐたと云ふ物語である。問題の着着想は常人の及び難い所で、實に才子の作たるに愧ぢない。本篇に於ても頗る觀念的ではあるが作者獨特の大衆的謀計趣味が用ひられてゐる。問題の雋鋭なるに比し作品感覺の通俗的なるは之が爲である。奉先樓は婦節と宗嗣とを相剋せしめて失節存孤問題を提供し、奇聞の封氏女篇は之を祖述して失節を以て全家を活かせる女子と、他嫁を以て夫家を活かし自縊を以て完節せる婦人とを描いてゐる。

以上七篇の中、王孺人篇の說理小說體なるを除き、他は總て理想小說體で或る程度迄通俗的意義をも有する譯であるが、問題の本質は必ずしも通俗的ではなく、頗る重大な意義を有するものが多い。

父子問題を最初に檢討した興味ある作は初拍の趙六老篇である。梗概は次の如くである。

「趙六老は一子趙聰を嬌養し、負債を負つて迄媳婦を娶つたが、六老が後に債主に責め立てられても聰は之を顧みず、六老は終に聰の臥房に忍び入つて金を盗まうとし、聰は賊と誤認して六老を殺したので、官は不孝の罪を以て聰を死罪に問ふた。」

本篇は舐犢の餘弊と極端な不孝者の個人主義の餘孽どを自然主義的筆法を以て巧に描寫したもので、實に深刻な人生問題を捉へた作である。石點頭の郭挺之篇は筆法は之と相似て、問題は大いに異なり、父にして子あるを知らず、榜前に二十歳の兒と初對面した物語で、玩味すべき多くの問題を包藏してゐる。王本立篇に至つては趙六老篇の對蹠作品として父子問題の根柢を衝いた作である。梗概は

「直隷の王珣は里役の苦を免れんが爲、妻張氏と週歳の一子本立とを家に殘して外遊ずして歸らず、本立長じて婦を娶り直ちに單身父を尋ねて山東に至り、流浪十年の後夢覺寺に至つて父が廚下にあつて道裝の生活をなせるに會ひ、伴ひ歸つて一家團圓した。」

と云ふ父不慈にして子至孝なる代表的事例を描いたものであつて、描寫の筆致に本づき問題の要點を列擧すれば、王珣が意志薄弱の爲家を棄て世を避けたこと、張氏が本立に母への孝を棄てゝ行方不明の父を尋ねる愚を諄々と說いた點、本立が敢て母と新婦とを殘して天涯に十年父を尋ねて彷徨したこと、王珣が寺中にあつて本立と同行を肯んじなかつたこと、住持が「昔年之出、既非丈夫、今日不歸、尤爲薄倖、你身不足惜、這孝順兒子不可辜負、天作之合、非人力也」と戒めて之を歸鄕せしめたこと等の諸項を指摘することが出來る。　其の王本立の愚孝に近い至孝を寫した理想主義的筆致は半面王珣の不慈に對する諷刺的筆致ともなつてゐるのである。　本篇は本立の立場のみを見れば單なる名教主義作品であるが、王珣、張氏の立場を見れば容易ならざる問題を投じた作である。

愛慾問題小説に屬する諸作は問題作品中の殆ど最高峰をなすものであり、其の作風は寫實主義、自然主義を基調としてゐるが、中には惡魔主義を混へたものもあり、大部分は犯罪小説をも兼ねてゐる。問題の性質は何れも陰鬱幽怨の氣を帶び、人生の奥祕を衝いたものが多い。通言の況太守、石點頭の瞿鳳奴の二篇は何れも情死問題を描いて悽怨哀切を極め、前者は寃鬼夜哭するを思はしめ、後者は杜鵑血に啼くの概がある。初拍の西山觀篇は愛慾に配するに慈孝の問題を以てし、兩者錯綜して筆致深刻を極め、貪歡報の李月仙、陳之美、鐵念三諸篇は夫妻問題を交へて心理描寫に長じてゐる。諸作の中、況太守、西山觀、李月仙、陳之美の四篇は惡魔主義的犯罪描寫に優れ、前二者は本格的探偵小説として收束され、後二者は復讐小説として暗示多き問題小説的筆致を以て卷を終つてゐる。鐵念三篇のみは犯罪小説を兼ねながら構想は稍〻平板であるが、時に情に流れ時に義に趨く矛盾多き凡人の性格を巧みに象徴した名作である。諸作共に筆力の點では容易に軒輊し難いものがある。

斷袖問題を取扱つた石點頭の潘文子篇は稍〻浪漫的敍法を用ひた悲劇的作品として結ばれ、十二樓の萃雅樓は情節波瀾に富み、中間に稍〻諧謔的筆法を用ひ復讐小說として收められてゐる。

以上各種の問題小說は何れも直接人情恩愛に關するものばかりであるが、最後に掲げた思想問題小說は稍〻方面を異にした觀念を取扱つたものである。十二樓の歸正樓は貝去戎の前半生の拐子生活と後半生の修道生活とを描き、善惡問題に對する人道主義的解剖を行つた作であつて、半面卓越せる謀計趣味を以て作品の諧謔味と大衆性とを發揮してゐる。豆棚閒話の空靑石篇は首陽山篇と共に此の書中にあつて寓言體に成る二大問題小說として他書に比を見ざる艾衲居士の獨擅場であり、電光尊者、自在尊者の說の如きは老殘遊記の勢力尊者の說を聯想せしむるものがある。蓋し時代の風氣を背景とした寓言作品として注目すべき作である。

問題小說の內容は大體以上に檢討した六系統より成つてゐるのであるが、創作年代別に其の作風を一覽すれば、通言、恆言、初拍の各書に於て既に傑出せる寫實的作品を出し、石點頭に至つて鮮明なる人生批判的筆致を帶び、貪歡報に於ては惡魔主義的描寫を以て之を出し、十二樓に入つて諷刺諧謔的作風に轉じ、豆棚閒話の寓言作品より今古奇聞の謀計的作品に至つて終つてゐる。其の中幻想趣味を交へた作は空青石篇を除けば、瞿鳳奴、王孺人、江都市の諸篇に部分的に現はれたのみで、殆ど作品要素としては顧みられてゐない狀態である。　謀計趣味に就て觀察すれば、況太守、西山觀、王孺人、李月仙、陳之美等の犯罪作品は云ふ迄もなく、白玉孃、盧夢仙、合影樓、奪錦樓、歸正樓、封氏女、唐淑女等にも大衆性に富んだ謀計要素が見られるが、其の他の作に於ては餘り重きをなしてゐない。　卽ち問題小說には相當大衆性を兼ねた作もある譯であるが、問題の核心に於て其の大衆性を指摘し得るものは殆ど見出すことは出來ない。此の點に於ては風世類中最も作風の文人化したものと見られる。

今、風世類の各體を通觀して其の相互關係を考察すると、理想、鑑戒、諷刺、說理、問題の五體は事實上殆ど相並行して發展してゐる樣であるが、其の間年代と作者とにより、自ら作品の傾向の多少宛異つてゐることが窺はれる。　そこで簡單に風世作品消長の迹を窺ふ爲、風世類に收めた百十一種の作品に就て、各體各書別及び各體年代別の篇數を示すと第十表及び第十一表の通りである。數字に圏を施したものは各書別重心の所在を示すものである。表中今古奇觀の三篇は總て古今小説より取られてゐる。

第十表　各書別風世類分類表（各書重複の作は省略す）

書名＼分類	理想小説	鑑戒小説	諷刺小説	説理小説	問題小説	計
㊄京				1		1
㊄清	1	1	1			3
㊄雨	②					2
㊄觀	②	1				3
㊄通	3	1	1	④	1	10
㊄恒	⑤	1	1		1	8
㊄拍	3	1	1	⑤	2	12
㊄石		1	1		⑩	12
㊄西	④	1	2	3		10
㊄醉	⑤	3	4			12
㊄貪	1	1	1	1	③	7
㊄樓	1		1	1	⑥	9
㊄豆	③	1	2	2	1	9
㊄照			②			2
㊄聞	⑥	3			2	11
計	36	15	17	17	26	111

勿論此の二表には風世類以外の風世的作品は含まれてゐないから、各書、各

代の作風を直ちに代辯する譯ではないが、大體の趨勢は示したものと云へる。

即ち各書別に見れば、理想小説は諸體の中、各書に亙つて最も勢力を占め、説理、問題の二體は比較的偏在して居り、諷刺小説は西湖二集以後に多く、鑒戒小説

第十一表　創作年代別風世類分類表

分類＼年代	宋	元	明（三言以前）（或？）	明（初拍以後）	清	計
理想小説			一三	一三	一〇	三六
鑒戒小説		一	三	七	四	一五
諷刺小説		一	二	九	五	一七
説理小説		一	四	九	三	一七
問題小説			二	一五	九	二六
計		三	二四	五三	三一	一一一

は數は少いが、勢力範圍は相當廣い。　各書の大衆性、文人性の一端も之によつて或る程度迄窺ふことが出來る。　又年代別に見れば、三言以前の風世類は理

想小說が過半を占め、初拍以後には其の他に問題、諷刺、說理の各體が擡頭し、淸代に入つて再び理想小說が中心となつてゐる。要するに風世作品は理想小說に始まり、諷刺、說理、問題の諸體に於て高度の發展を遂げ、末期には理想、鑒戒の舊域に還元して衰滅した譯である。

第六節　說公案類

第一項　犯罪小說

說公案類の名稱は既述の如く稍〻不穩當な點もあるが、此の類に總括した諸作は主として謀計、趣考上の興味を基準として選んだものであつて、題材によゝる分類、作風による分類と鼎立すべき一分類をなすものである。併し之を若し現今の純文學乃至大衆文學上の觀念を以て見れば、其の性質に於て說公案類は前二者を併合したものと相對峙する地位に立つものである。そこで多少繁雜に亙るが、今日の純文學、大衆文學と云ふ觀念を檢討して見ると、論者により其の限界に各種の相違のあることは明かであるが、純文學を最も狹義に限定し、大衆文學を最も廣義に規定した場合の大衆文學に屬する小說の觀念には大體次の三系統のものが含まれてゐる樣である。

一、大衆的人情小說

（必ずしも言情作品とは限らないが、一般に現代物で、廣義の純文學に屬するもの）

二、歷史的大衆小說

（所謂時代物で、狹義の大衆文學の中心となるもの）

三、理智的大衆小說

（科學小說、怪奇小說、犯罪小說、探偵小說等の理智的、獵奇的興味を主としたもの）

此等の中作品要素として謀計、趣考等の最も重んぜられるのは理智的大衆小說である。卽ち說公案類の基準要素は今日の理智的大衆小說に相當してゐるのである。併しながら第二章にも述べた如く、說公案類の作品內容は謀計、趣考の外に靈怪、煙粉、風世等の各要素を兼備したものが多く、理智的興味のみを以て創作意義の中心とするものではない。從つて之を論ずるに當つても理智的興味のみに拘泥したならば、作品の本質を逸する恐れのあることは云ふ迄もない。

さて說公案類の作品は遠く宋代の話本搖籃期より理智的大衆文學の要素を帶びて發生し、明代に至つて謀計趣味の洗錬進展を來し、淸代の話本衰微期に入つては其の謀計趣味は漸く觀念的に流れて作品の核心より遊離し、渾然たる說公案作品の妙味を失ふに至つたのである。

說公案類の創作は先づ犯罪小說より興つてゐる。犯罪とは如何なる範圍內の事件を指すかは勿論法律上の問題であり、時代によつても異なるが、玆には唯常識的觀念に從つたに過ぎない。話本作品に現はれた犯罪小說には大別して二種の形態がある。其の一つは明以後の文人話本特有の美人局小說であつて、純然たる計畫犯罪小說に屬し、且つ犯罪描寫のみに終始して探偵、裁判等の敍述を行はない名實一致の犯罪小說である。他の一つは宋元の諸作より文人の作品に至る迄最も普通に用ひられてゐる形態の犯罪小説であつて、犯罪描寫に次いで犯罪發覺經路、探偵經路、裁判過程、判決等をも或る程度迄叙述した作であつて、一面裁判小說、探偵小說をも兼ねたものも少くない。茲には此の種のものゝ中裁判、探偵の描寫よりも犯罪の描寫に於て精彩のある作を一括し、前記の美人局小說と併せて犯罪小說と名づけた。

云ふ迄もなく、犯罪小說の主題は他種の小說に於ける世態人情の種々相、倫理上の善惡、人生觀の甲乙等を叙したものに比すれば、直接人生を傷け、人命を奪ひ、人道を破る類の事件が多く、小說としては最も慘酷なる問題に觸れるものであり、從つて其の作風も亦概して陰慘幽鬱の氣に充ちてゐるのは當然である。先づ一般犯罪小說に就て考察すると、犯罪の本質によつて大體之を偶然犯罪小說と計畫犯罪小說とに分つことが出來、偶然犯罪の描寫は必然的に心理描寫となり自然主義的筆法を取り、計畫犯罪の叙述は主として謀計叙述となり自然主義に止まらずして惡魔主義的筆致を帶びる譯であるが、犯罪描寫の根柢には何等かの人生問題の潛む場合が多く、筆致の如何によつては問題小說的感覺を呼び人生批判的色彩を伴ふことも少くない。此れ即ち犯罪小說が理智的大衆小說たると共に一面高度の風世的要素を藏する所以である。

一般犯罪小說は又其の題材によつて情癡犯罪小說とそれ以外の通常犯罪小說とに分つことが出來る。今右二種の標準を併用して一般犯罪小說を分類すれば第十二表の通りとなる。

第十二表　一般犯罪小說分類表

一、偶然犯罪小說
　甲、通常犯罪小說
　　㊄15錯斬崔寧　㊃14鬧樊樓　㊀13張採蓮
　乙、情癡犯罪小說
　　㊊錯認屍　㊍20計押番　㊎12禁玉奴
二、計畫犯罪小說

甲、通常犯罪小說

(恒)34 一文錢　(恒)27 李玉英　(拍)11 惡船家

乙、情癡犯罪小說

(京)11 菩薩蠻　(清) 簡帖和尚　(雨) 曹伯明

(通)13 三現身　(觀)24 陳御史　(恒)16 陸五漢

(拍)36 東廊僧　(醉)3 假淑女　(醉)9 逞小忿

(貪)1 花二娘　(貪)4 香菜根　(貪)5 日宜園

(貪)19 木知日

之によつて宋元明を通じて此の類の作の過半數は計畫的情癡犯罪小說たることが判る。表の順序に從ひ先づ偶然的通常犯罪小說より考察すると、其の初期作品たる京本通俗小說の錯斬崔寧は戲言に始まり偶然犯罪に入り偶然寃罪を經て復讐小說として收束され、宋代の作としては注目すべき運命論的筆法を用ひてゐる。恒言の鬧樊樓篇は幻想怪奇小說に類する獵奇的題材を用ひて、變態的心理描寫を行ひ過失犯罪を描いたものとして民間話本中の異色とも云ふべき作である。　西湖二集の張、採蓮篇になると末段に於ては幻想的鑒戒作品の常套を以て結ばれてゐるが、其の構想は同一目的を有する二組の犯罪企圖を描き、純計畫犯罪が無計畫犯罪に敗れて前者は一轉して冤罪となつた物語で、運命論的でもあるが、犯罪描寫の手法は優れてゐる。

偶然的情癡犯罪小説の初期作品たる雨窓集の錯認屍、通言の計押番の二篇は、一面に於て文辭は簡直ながら無節操の男女を寫して頗る忌憚なき自然主義的人情小説であり、犯罪小説としては共に構想の錯雜を以て勝れてゐる。錯認屍篇は又末段の極度に悲劇的なる點に於ても通俗的鑒戒作品の域を脱した觀があり、犯罪發覺經路の描寫の寫實的な點に至つては犯罪小説の基本型を示したものとも云へる。　計押番篇は之に比し犯人逃亡經路の描寫に長じ、末段は振はないが、冤罪物語たる點は錯斬崔寧に類し、自然主義的筆致に於ては錯認屍篇を凌いでゐる。（本篇は又靈怪類の李元篇、大樹坡篇等と異曲同工の動物愛護の因果論を背景としてゐる。）　此等の作には眞に民間話本の無技巧の妙趣がよく現はれてゐる。貪歡報の禁玉奴篇は僧侶の惡行を寫し、被害者の逃走によつて犯罪の發覺した物語で、犯罪小說としては平凡であるが、自然主義的描寫に勝れ、末段に作者は「自古不禿不毒、不毒不禿」と嘆じてゐる。

右の六篇は何れも無計畫犯罪を敍したもので、文人の作よりも民間話本が數も多く、作品としても傑れてゐる。又探偵小說を兼ねた作は殆ど一篇も見られない。

計畫的通常犯罪小說に於て大衆小說としての妙趣を最高度に發揮した作は恆言の一文錢篇である。小兒同志の一文錢の爭ひが母親同志の爭ひを生み、轉じて朱、趙兩家の亂鬪劇となり、長期訴訟戰の結果、十三人の生命を奪つた經路は明かに念の入つた說理小說であるが、犯罪謀計の本格的で多岐多端に亙り、構想の變轉波瀾に富んだ點では話本小說中屈指の傑作である。末段は裁判小說、探偵小說の形態をも兼ねてゐる。恆言の李玉英篇は繼母繼子を材とした寫實的問題小說で、繼子虐待の非人道行爲、計畫犯罪行爲を細さに描き、末段は訴寃捕縛を以て結ばれてゐる。純犯罪小說にして人道主義作品を兼ねたものである。 初拍の惡船家篇は一面人情の險を寫した作者獨特の自然主義小說であるが、犯罪計畫の深刻巧妙なる點、誣告事件より犯罪發覺に至る經路の寫實的描寫等に於て計畫犯罪小說中の最高水準に達せるのみならず犯罪謀計を末段に至つて始めて暴露した手法は近世探偵小說にあつては既に常套であるが、話本作品中に於ては比較的珍しく、有數の本格的謀計作品と云ふべきである。 內容は既に奇觀によつて著名な物語である。

計畫的情癡犯罪小說は初期の民間話本に於ても既に四篇の多きに達してゐる。 京本通俗小說の菩薩蠻は一面佛理小說であるが、犯罪小說としては誣告事件の始祖である。 淸平山堂話本の簡帖和尙は犯罪計畫と犯罪發覺經路との巧妙な敍述を行つた點で、計畫犯罪小說の基本型と見られる。 雨窓集の曹伯明篇は物語は單純であるが、犯罪謀計の着想に勝れ、末段は裁判小說となつてゐる。 此の三篇は錯斬崔寧、錯認屍等と共に話本中の犯罪小說の第一期に當るもので、各篇各樣の特色と作風とが窺はれる。

同じく民間作品の一たる通言の三現身篇は賣卜家の豫言を利用し、犯人自ら僞り投水して犯行を晦まさうとした情癡犯罪を寫したもので、犯罪發覺經路に鬼を用ひ、包公の斷案に夢を借りた點は幻想作品化して探偵小說としては幼稚の感を免れないが、敍法に於では惡船家篇と同樣の本格的謀計作品であり、筆力に於ても鬼氣迫るの觀があり、說公案類の作として容易に得難い傑作である。我が國では江戶時代の「英草紙」などに其の飜案作があり、支那では近年席靈鳳氏の筆記書「風流奇案」にも類似のものがあり、平夢氏の章回小說「奸淫案」も其の近代化と見られる。

進んで明代になると此の類の作は惡魔主義的描寫の漸次精緻となつて行つた傾向を示してゐる。奇觀の陳御史篇は包公案の借衣を話本化し、當時の家族制度、社會慣習の隙に乘じた惡質犯罪を描いたもので、恆言の陸五漢、初拍の東廊僧、醉醒石の假淑女等は皆同系統の事件を取扱ひ、其の惡魔性は增すとも減じてはゐない。其の中陳御史篇は末段に於て裁判小說となり、復讐的判決を以て結び、陸五漢篇は誤殺事件を加へ探偵小說、鑒戒小說として結ばれ、東廊僧篇は加害者、被害者の外に一僧侶を添へ、幻想怪奇を交へた說理小說でもあり、後段は探偵手段と犯罪發覺經路の描寫とに長じ、假淑女篇は末段に算命を用ひた點は平凡であるが、情節に新味を出し、心理描寫と婚姻問題に對する諷刺とに長じてゐる。 犯罪小說としての筆力に於ては陸五漢、東廊僧の二篇が傑出してゐる。 醉醒石の逞小忿篇は更に惡質化した計畫犯罪記錄であるが小說としては含蓄に乏しい嫌ひがある。

貪歡報の花二娘、香菜根、日宜園、木知日の諸篇は惡魔主義の最も徹底した作であつて、何れも末段收束の法は現世報的制裁を用ひてゐるが、其の世態人情の描寫は微に入り細を穿ち、筆の赴く所各人物胸中の祕密の一隅をも暴かざるはない鋭さは犯罪小說として最も深刻な作風を示してゐる。 花二娘篇は犯罪小說としては犯罪計畫が失敗して誤殺事件となり、寃罪を蒙つた嫌疑者が獄死して疑獄となつた所で筆を擱いて居り、美人局小說同樣の純犯罪小說であるが、犯罪事件以外にも謀計趣味に富み、情節筆致は自然主義的問題小說として傑れてゐる。 香菜根篇は尙一層惡魔性を增し、計畫犯罪に報ゆるに計畫犯罪を以てし、復讐失敗物語となり、問題小說として收束されてゐる。 日宜園、木知日の二篇は風格既に最下位に落ちて、犯罪小說としては構想上奇とするに足るものはなく、人道主義的鑒戒小說となつてゐる。

以上の計畫犯罪小說の中探偵方法又は經路を寫して、探偵小說的意義を兼ねた作としては、一文錢、陳御史、陸五漢、東廊僧の諸篇を擧げ得るに過ぎず、他は多く犯罪の偶然又は自然發覺經路或は幻想的探偵手段等を敍したに止まつてゐる。

一般犯罪小說發達の跡を考察すると、錯斬崔寧、簡帖和尙等の第一期作品に於て既に偶然犯罪、計畫犯罪の兩方面に各種の基本型を出し、三現身篇、計押番篇、鬧樊樓篇、一文錢篇等の第二期作品に至つて大衆性の躍進となり、陳御史篇以降の明代の第三期作品に至つて惡魔主義の發展と敍法、筆致の洗錬とを示し、末期の醉醒石、貪歡報の諸作に至つて惡魔性の行詰りと共に諷刺、鑒戒、問題各體の作品に接近して、宋代說公案の軌道を曲げ、淸代には其の跡を絕つに至つたと見られる。

次に文人話本の獨擅場たる美人局小說を検討しやう。一般犯罪小說に於て殆ど犯罪經路の描寫のみに終始したと見られる作は李玉英篇、花二娘篇位に過ぎず、而も前者は最後に犯徒が捕縛處刑され、後者は其の被害者は卽ち犯罪主謀者自身でもあり、末段には犯徒の改過遷善を以て筆を收めてゐる。之に比し美人局小說に於ては、例外もあるが、原則として犯罪發覺に先んじて犯徒は逃走し、被害者の泣寢入りを以て篇を終へてゐる。此の點は其の犯罪目的が錢財の範圍に止まる爲にもよらうが、主なる理由は作中の主人公たる被害者の愚昧無識に對する鑒戒、諷刺、諧謔を以て一創作目的とする爲と思はれる。物語敍述の筆法は最後に犯罪計畫を暴露するのが原則であり、讀者をも被害者と共に瞞過しやうとする點が其の理智的興味の中心となつてゐる。

初拍の丹客半黍、奇觀の趙縣君、貪歡報の、汪監生、楊玉京、夢生花、照世盃の百和坊の各篇は何れも美人局小說の原則に從つた作で、犯罪計畫は大同小異で大した甲乙はないが、丹客半黍篇は煉丹の妄を譏り、汪監生篇は周密な長期計畫を用ひ、楊玉京篇、夢生花篇は各〻美人局の常套を破つて新味を出し、殊に楊玉京篇の如きは初に堂堂たる淸談の語を揭げて犯徒の僞裝とし、前後對照の妙を發揮し、百和坊篇は敍述鄙俚を極め滑稽を以て諸作の殿となつてゐる。

初拍の張溜兒篇、貪歡報の乖二官篇は右の原則を破つた例外の作で、共に美人の離叛による美人局失敗物語であり、殊に後者は自然主義的筆致を用ひて末段に至る迄犯人、被害者の勝敗逆睹し難きものがあり、最後に及んで兩者其の地位を逆轉してゐる。 蓋し此の類の作の中最も進化した形態と見られる。

美人局小說は作品要素として鑒戒小說、諷刺小說の體と計畫犯罪小說の體とが相融合したものであつて、風世的文人文學と理智的大衆文學との自然的合流點たる所に其の輕妙洒脫の風趣を味はひ得る理由が存するのである。從つて型式は純犯罪小說であるが、一般犯罪小說の陰鬱なる雰圍氣に比すれば、全く別世界の觀を呈してゐるのも當然である。美人局小說の作風は一般に被害者の描寫に於ては自然主義的であり、加害者の描寫に於ては計畫犯罪小說の支流たる點に於て、假りに小惡魔主義とでも呼ぶべき趣を具へてゐる。

第二項　裁判小說

凡そ裁判に關する記錄又は文學作品は何れの時代にも頗る多く、話本中にも刑事、民事等の悉ゆる事件に於て裁判に關した作は枚擧に遑がない。玆に論ずるものは其の中專ら裁判方法に興味のある作を一括したものである。

此の類の初期の作たる清平山堂話本の合同文字記は包公が叔姪の係爭を合同文字によつて斷じた物語であるが、裁判小說としては頗る平凡で取るに足らない。初拍の張員外篇は之を潤色して合同文字橫奪の一節を加へ、包公の誘導訊問を以て本格的裁判小說化した作で、其の構想は元曲の包龍圖智賺合同文字を襲つたものと見られる。奇觀の滕大尹篇は包公案の批畫軸としても著名な物語で、畫像に隱した遺書の謀計と、鬼との對談を粧ふて案を斷じた滕大尹の機智とが相俟つて、探偵小說的結構を完備した名作である。

初拍の韓秀才篇は金聲が許嫁の女壻排斥の爲、人と共謀して起した訴訟の謀計を吳太守が訊問により看破した物語で、平凡ではあるが謀計暴露の經路は極めて寫實的である。奇聞の能吏爲民招假壻成眞篇は韓秀才篇の謀計と奪錦樓の創作態度とを併せ用ひて構想を錯雜させたもので、內容は錢監生が娶妾の爲前後二假壻を用ひて訴訟を起し遂に敗露したことを述べてゐる。作中の縣官は所謂能吏であつても呉太守の明察には及ばないが、其の誣告計畫及び發覺過程の描寫は傑れてゐる。　本篇は說公案類掉尾の話本作品として既に局面行詰りの觀がある。

右の五篇が何れも民事訴訟事件に關するものばかりであるのは一見奇異に思はれるが、之は玆に用ひた分類法にも起因することであつて、必ずしも偶然の現象ではない。　諸作の中では滕大尹篇が隨一の傑作と見られる。　裁判小說に現はれた作風は理想小說、鑑戒小說等と相通ずるものがあり、大體に於て理想主義作品の一體をなすものと見ることが出來る。

第三項　探偵小說

犯罪小說と相對峙せしめた場合の探偵小說とは、其の語義に卽した嚴密な觀念としては、最初に先づ犯罪の結果のみを寫し、直ちに探偵方法、探偵經路の敍述に入り、逐次犯行の過程を明かにして、最後に犯罪者及び犯罪の全貌が判明すると云ふ形態を具へた作品でなければならない。此の形式の探偵小說に於ては犯罪の原因も動機も經路も最初は一切讀者に不明であり、讀者の前には唯不可解な犯罪結果のみが陳列されてゐる爲、其の興味は專ら此の謎を解いて行く探偵經路に注がれることゝなる。然るに探偵と云ふことは其の本質に於て犯罪の如く文學的興味の多いものではなく、寧ろ論理學又は科學に近いものである。從つて讀者の興味の內容にも論理的、科學的なものが多く、文學的なものが少いのが普通であり、最後に犯罪の全貌が暴露された時に至つて、始めて論理的、科學的な興味は既に滿足され、改めて文學的な興味が起るべき筈であるが、場合によつては其の最後の感興は最初の感興に壓倒されて效果の減じてゐることも少くない。此の種の嚴密な探偵小說が、理智的大衆小說の中にあつて、特に論理的、科學的興味に富み、文學的興味の少い作品となり易いのは其の作品構造の然らしめる所である。故に通常、探偵小說と呼ばれるものゝ中でも文學的興味の豐富な作品には、文中に各種の文學的要素を加味すると共に、或は探偵描寫と並行して犯罪描寫を進め、或は先づ犯人及び犯罪經路を若干寫してから探偵描寫に移る等の手法を用ひたものが多い。即ち犯罪小說の筆法を加味したものゝ方が文學的感興を添へるに適してゐる譯である。

話本作品に於ても右の嚴密な探偵小說の體を具へた作は通言の三現身篇、恆言の勘皮靴篇、通言の金令史篇の三篇のみである。其の中三現身篇は既に犯罪小說の項に於て述べた如く、探偵法が幻想に亙る爲、本格的作品とは認め難い。從つて茲に探偵小說として擧げた作も勘皮靴、金令史兩篇以外は總て犯罪小說的探偵小說で、前段は犯罪小說の體に成り、後段又は末段に於て探偵小說となつたものであつて、犯罪小說中の一部の作とも類似の形態を有する譯であり、唯探偵描寫の精彩あるものを選んだに過ぎない。

探偵小說の作風は其の犯罪方面に於ては犯罪小說と同樣自然主義又は惡魔主義の筆法が用ひられ、其の探偵方面に於ては相當心理學的又は論理學的筆法が多く用ひられ、理智的大衆小說の本色を發揮してゐる。

此の類の初期の作たる恆言の勘皮靴篇は宋代說公案類中の破格の名作た

るのみならず、話本文學界の一異彩である。題材は艶情小說に類する情癡犯罪を用ひ、犯人の皮靴を得て其の出處を數段に亙り次々に探偵し、遂に犯人の正體を暴露するに至つた經路を寫したものである。探偵小說としては難解な論理的探偵法や機智に基づく飛躍的探偵法と異なり、極めて現實的な推理による探偵經路を敍した寫實主義的探偵作品に屬し、犯罪方面に於ては廟官が二郎神を假冒した點が唯一の謀計であつて、通言の假神仙篇に於て龜精が神仙に假扮したのと同一筆法である。又本篇は犯罪全貌を最後に暴露した點に於て實に話本中有數の純正探偵小說であり、包公案を繙いても之と同じ形式を用ひた作品は木印、石牌、葦姓走東邊、白塔巷の諸篇に止まり、探偵法の之に匹敵するものは殆ど見受けられない。此の作に於て注目すべきことは其の形式が純理智的作品たるに拘らず煙粉類に屬する大衆的題材を用ひた結果、文學的興趣も亦遺憾なく發揮せられてゐる點である。

降つて明代の作で純正探偵小說の體をなしたものは通言の金令史篇である。梗概は左の如く稍〻平凡である。

「崑山縣の令史金滿は官銀を盜まれて、奴秀童を疑ひ獄に繫いだが、其の後陸門子が、隣家の無頼兒の大金を有するを知り、之を捕へて眞犯人なることが判明し、秀童は放たれた。」

此の作に於ては最初秀童が捕へられた時には、果して之が犯人なりや否や金令史は固より讀者にも判明せず、令史も秀童も苦しみ拔いた末、偶然陸門子が惡漢を發見した譯である。即ち本篇は犯罪の偶然發覺經路を寫した探偵小說であつて、探偵法は實に拙劣であるが、體裁は勘皮靴篇を襲つたものと見られる。

恆言の赫大卿篇は一面尼菴を舞臺とした言情小說として、文學的興趣に富み、前段の赫大卿病死の始末は玉蜻蜓彈詞の申貴升病死の一段として民間文學中出色の文字と見られる故事と同じであるが、後段は匠人蒯三の探偵より屍體發見となり、僧去非の失綜事件が之に絡んで錯亂紛糾を極め、犯徒の逃走より捕縛に至る迄、事件の進むと共に筆力は益〻揚つてゐる。犯罪發覺經路を描いた犯罪小說的探偵小說として文學的、理智的兩方面の興味を兼ねた代表作である。汪大尹篇は僧侶の悪行を題材とし、汪大尹が機智的探偵法を以て其の祕密を暴いた物語で、探偵法を興味の中心とした作である。

進んで初拍の姚滴珠篇になると其の理智的構想の妙に於て作者の非凡なる手腕が現はれてゐる。本篇は一面惡魔主義的及び自然主義的筆致に成る人情小說であり、犯罪方面に於ては、第一の誘拐犯罪に次いで第二の替玉犯罪となり、先づ替玉が露顯し次で機智的探偵法による誘拐犯徒の捕縛となつてゐる。言情作品としては滴珠の失節と月娥の騙局とに於て人情の機微を穿ち、理智的大衆小說としては面貌酷似の二人物を材とした獵奇的惡質犯罪を描いた點が其の主眼と見られる。奪風情篇は寺院を舞臺とし其の惡魔性に於ては姚滴珠篇を凌いだ寫實的作品となつてゐるが、犯罪の方面は極めて單純であり、探偵法と探偵經路とに大なる苦心が拂はれ、末段の捕縛法に滕大尹篇類似の機智が用ひられてゐる等の諸點が探偵小說的意義を發揮したものと見られる。

貪歡報の一宵緣篇も惡僧を寫したもので、探偵法は一部分は夢を用ひ、一部分は包公案の阿彌陀佛講話を用ひてゐる。

右の七篇を犯罪の性質より分てば、勘皮靴、汪大尹、姚滴珠の三篇以外は殆ど無計畫又は偶然犯罪であるが、探偵に苦心を要した點では皆揆を一にしてゐる。又金令史篇以外は總て情癡犯罪に屬し、其の中、廟官に關するもの一件、尼菴に關するもの一件、惡僧に關するもの三件を算するのは興味ある現象である。蓋し此等の徒は探偵に最も苦心を要する對象であつたと思はれる。

西湖二集の周城隍篇は、纒つた物語ではなく、十則の小話より成つてゐる。作品內容も一定せず「小木布記」「烏鵲」「翠峯寺」の三則は皆包公案に似たものがあり、大體探偵小說であるが、後の二則は幻想作品化し、「耿氏」「石仰塘」「范典」「稍公王七」「爭傘」「爭牛」の六則は裁判小說で、後の四則は機智に富み、「耿氏」は計畫犯罪物語として「石仰塘」は偶然犯罪物語として夫々面白く、入話の「劉婦人」の一則は謀殺事件と其の發覺經路とを寫した犯罪小說である。 本篇は周城隍の逸話集であつて、一則宛では話本小說の格を具へたものとは見られない。

探偵小說發達の經路は民間話本時代に却つて理智的な純正探偵小說が行

はれ、文人化すると共に理智的構想の外に犯罪描寫による文學的要素が濃厚となり、貪歡報に至つて行詰つてゐる。此の點は民間話本の大衆性と文人話本の文人性との然らしむる所であり、純正探偵小說の非文學性(卽ち狹義純文學に對する廣義大衆文學的要素)を證するものとも見られる。探偵小說の作風に就て前に述べた所を補へば、其の探偵方面では頗る理智的ではあるが、大體に於て裁判小說に準ずる理想主義の別派をなすものであり、犯罪方面より見れば姚滴珠篇を始として深刻なる問題小說的筆致を伴つたものが多い。

第四項　復讐小說

復讐小說は其の構造に於ては犯罪、探偵、謀計等の各要素を用ひ、作風に於ては人道主義的問題小說となつたものが多く、大衆性と文人性とを兼ねて深刻な感覺を出し得る點に於て、美人局小說の輕妙なる風趣と好一對をなす作品形態を示してゐる。

復讐小說には其の構想より見て二種の形態がある。其の一は最初より仇人の判明してゐる場合の計畫的復讐小說で、本項に論ずる七篇の中蘇知縣篇以外の六篇は總て此の類である。他の一は最初は自ら仇人を有することを知らず、偶然の機會に仇人の存在を知り突差の間に復讐を決意する自然的復讐小說で、蘇知縣篇及び問題小說中の李月仙篇、陳之美篇の如きが之である。兩者の關係は犯罪小說に於ける計畫的作品と偶然的作品との關係と相表裏するものがある。計畫的復讐小說は通常、復讐小說の一般型となつてゐるもので、牢固たる人道主義に立脚せるに對し、自然的復讐小說は深奥なる人生問題を包藏することが多い。既述の王臑人篇の如きは計畫的復讐小說の一派と見られ、香菜根篇の如きは自然的復讐小說の別體であり、日宜園篇の如きは、復讐小說の前提條件を具備しながら現世報を以て復讐に換へ運命論作品化したものと見られる。兎も角復讐小說の作風は裁判小說、探偵小說の筆法に比すれば、百尺竿頭更に一歩を進めたものと云ふことが出來る。

通言の蘇知縣篇は卷末に「至今閭里中傳說蘇知縣報寃唱本」と記されて居り、民間唱詞の改作たることが判る。內容は監察御史蘇秦が羅衫によつて、養父徐能が本は賊で實父母の仇たるを知り、之を捕縛處刑して父母と團圓した物語で、犯罪謀計、捕縛法等各種の謀計趣味に富んだ大衆作品であるが、又深刻な問題小說的要素をも藏してゐる。恆言の張廷秀篇は物語の波瀾に富んだ大衆小說としては此の類の代表作である。梗概は大要次の如くである。

「蘇州の王員外は木匠張權の子廷秀を次女玉姐の壻にしやうと思ひ、其の弟文秀と共に自家に引取り讀書せしめた。長女瑞姐の壻趙昂は之を嫉んで、巡捕楊洪を賄ひ盜の寃罪を以て張權を捕へしめた。廷秀、文秀二兒は鎭江の按院に訴寃しやうとして、楊洪の計に落ち、江に投ぜられ、二兒各〻人に救はれ易姓改名し、廷秀は一時優人と迄成つたが、後二人共進士になり官を得て蘇州に來り、廷秀は微服して王員外の家に入り、王十朋荊釵記の演戲に托して趙昂等を譏刺し、趙昂、楊洪等は捕へられ、張權は救はれ、廷秀は玉姐を娶り一家團圓し、瑞姐は自縊した。」

此の作の中には謀計、犯罪、探偵の三要素が縱橫に織込まれ、復讐手段の如きも眞に妙を得て居り、計畫的復讐小說の一種の基本型を示した作である。右の二篇は皆舞臺の大きく情節の錯雜した大衆的復讐小說である。

恆言の綦瑞虹篇は綦小姐の忍辱報仇自刃物語で、問題小說を兼ね、初拍の李公佐篇は唐人傳奇謝小娥傳の故事を演じて、變裝謀計小說の體を取つてゐる。石點頭の侯官縣篇は夫の仇家を鏖して自經した烈婦物語で、復讐小說中壯烈悲愴な點に於て壓卷たるのみならず、犯罪謀計及び其の發覺經路等も巧に描かれてゐる。　末段に幻想的文辭を附した贊嘆的筆致は同書中の瞿鳳奴、江都市、潘文子等の諸篇と揆を同じくし、作者得意の筆法と見られる。　右の三篇は何れも烈女烈婦の復讐物語であつて、後の者程作品は洗錬せられてゐる。

初拍の酒下酒篇は作者獨特の惡魔主義的筆法を揮つて情癡犯罪を題材とし、毒を制するに毒を以てした深刻な問題小說的復讐小說である。　謀計も傑出し殊に第二の復讐犯罪は第一の犯罪者たる仇人に寃罪を着せて、未發覺に終つた完全犯罪となつてゐる。　復讐小說とは云ひながら、頗る大膽な筆法と云ふべきで、貪歡報の香菜根篇などは及ぶべくもない。（完全犯罪の例は今日の犯罪小說に於ても殆ど絕無に近い。）　貪歡報の朱公子篇は稍〻犯罪小說の域には入り難いが、酒下酒篇と類似の作風に成つた作で、復讐手段には諧謔的妙趣が窺はれ、一部分問題小說にも近い。右の二篇は復讐小說中の獵奇的作品で多少惡趣味に傾いてゐる。

以上の七篇は總て明代の作で、形態は犯罪小說又は探偵小說と類似し、作風は人道主義作品の一派をなしてゐる。凡そ復讐小說の主題は通常の探偵小說、理想小說等に比すれば極めて眞劍味の多い性質を具へ文學的迫力に於ても遙かに强いものがある。從つて話本中で復讐事件を取扱つたものは數は少いが、比較的傑れたものが見られるのもそれが爲と思はれる。

第五項　謀計小說

謀計小說とは犯罪、裁判、探偵、復讐の何れの體にも屬せずして、それ等の體に多く用ひられる謀計要素のみの現はれた作で、便宜上說公案類に收めたに過ぎない。說公案類以外にも謀計要素の用ひられた作は頗る多いが、玆には特に謀計の重きをなした作品を集めたのである。

云ふ迄もなく謀計が小説の一要素として喜ばれるのは其の理智的興味によ る譯であるが、苟も文學作品たる以上、謀計が用ひられるのは何等かの創作目的の爲に利用されるのであつて、無目的の謀計は小説の要素とはなり得ない。謀計小説は其の内容より一般謀計小説と機智小説とに分れ、一般謀計小説は題材と作風とによつて第十三表の如き三系統に分つことが出來る。

第十三表　一般謀計小説分類表

一、言情的謀計小説

(恒)8 喬太守　(通)26 唐解元　(恒)22 張淑兒　(觀)33 女秀才

(樓)4 夏宜樓

二、諷世的謀計小説

(恒)17 張孝基　(通)22 宋小官　(恒)2 三孝廉　(拍)15 衞朝奉

(觀)30 念親恩　(樓)3 三與樓　(樓)12 聞過樓　(照)1 七松園

(聞)3 許武

三、惡魔主義的謀計小說

(拍)32 喬兌換　(貪)13 兩房妻

右の中惡魔主義的謀計小說も固より風世作品の一種であるが、風世的謀計小說に屬せしめたものとは作風上大差のある爲、特に區別したのである。

言情的謀計小說とは言情小說に謀計趣味を配したもので作風は浪漫的なものが多い。　喬太守、唐解元、女秀才の三篇は變裝謀計を主題とし、喬太守篇は裁判小說をも兼ねてゐるが、主として男子の女裝を敍し、女秀才篇は女子の男裝を寫してゐる。（尙女子の男裝は彈詞、才子佳人小說等に於ても屢〻見られる所であつて、大衆的作品の一要素として一般に歡迎せられたものと思はれる。）艷情小說としては唐解元篇が傑れ、民間唱詞にも盛行した故事である。　恆言の張淑兒篇は淑兒の機智を中心とした婚姻佳話である。　夏宜樓は此の類の最も進化したもので、千里鏡の力で姻緣を成就した尖端的艷情作品である。此の種の艷情小說は清代才子佳人小說の謀計趣味の先驅をなしたものと思はれる。

風世的謀計小說に編入した諸作は理想小說、諷刺小說、問題小說等に謀計趣味を配して大衆的作品效果を揚げたものが多い。其の初期の作たる恆言の張孝基篇は好智奇計を以て放蕩兒を眞人間に叩き直した物語で、理想小說の本色をも發揮した溫潤味ふべき作と云ふべく、倫理教科書にも勝る大衆的效果を具へてゐる。恆言の三孝廉篇は漢代の孝廉を描き、奇聞の許武篇は其の主意を祖述したもので、共に謀計は頗る傑出してゐる。奇觀の念親恩篇は嗣子、資產の問題を中心とした孝女物語である。右の四篇は皆理想主義的謀計小說である。

通言の宋小官篇は計畫的復讐小說の體に擬した痛快な諷刺小說であり、變裝謀計を交へた大衆小說的結構に於ても傑れ、恆言の張廷秀篇と相並んで復讐小說系大衆小說の二代表作である。初拍の衞朝奉篇は莊房奪還の謀計物語で、貪財者を諷刺した譯であるが、謀計の二段構へになつた所に苦心が拂はれてゐる。

進んで清代の作になると謀計趣味は益〻尖鋭化して、三與樓、聞過樓、七松園の三篇共純正探偵小說の筆法を用ひて末段に至つて始めて謀計の全貌を說明してゐる。三與樓は衞朝奉篇と同樣邸宅の賣買に關する物語で、一俠士の策略を中心とし、諷刺小說又は俠義小說の體になつてゐるが、理智的興味に於ては話本作品中の最高水準に達してゐる。本篇は又醉醒石の王錦衣篇とも同趣味の作である。宋小官、衞朝奉、三與樓の三篇は總て諷刺的謀計小說と見られる。

聞過樓は城市の喧を避けた高德の隱者を殷太史が頗る念入りの策略を用ひて再び城下へ誘ひ出した物語で、歸正樓と相似た笠翁獨特の諧謔味を帶びた思想問題小說である。同じく問題小說でも豆棚閒話の樣な辛辣な感を伴はないのは、謀計趣味の巧妙な僞裝の爲と思はれる。照世盃の七松園篇は純情と俠義とを兼ねた謀計小說で、筆致は諷刺、鑒戒の意をも帶び、此の書中にあつては最も眞摯な作であるが、前段の假情書の經緯等は矢張り多少滑稽味を出してゐる。

以上各種の風世的謀計小說に用ひられた謀計は計畫犯罪小說の謀計とは正反對な目的に使用せられてゐる譯であつて、一種の計畫人道小說とでも云ふべき一體をなしたものと見られる。　之に反し惡魔主義的謀計小說に於ては全く犯罪小說の場合と同一筆法となり、體裁は鑑戒小說となつてゐる。　初拍の喬兌換、貪歡報の兩房妻の二篇は共に同種の情痴犯罪的物語で、前者は因果論を以て、後者は諷刺體を以て結ばれて居り、小說としては後者が稍〻勝つてゐる。

機智小說として擧げた恆言の蘇小妹、奇觀の十三郎の二篇は女子、小兒を題材とした機智物語で、纏つた謀計作品ではない。

謀計小說の源流は云ふ迄もなく計畫犯罪小說より發し、其の理智的要素を各種の作品に應用して大衆的效果を狙つた譯であつて、先づ理想小說と艷情小說とに用ひられ、次で他の體に及び、淸代に入つて犯罪小說系作品の消滅と共に謀計小說は公然と其の後に君臨するに至つたのである。　犯罪と絕緣した謀計小說も、三與樓型の純正謀計作品は固より、其の他のものでも、理智的大衆小說としての意義と通常の文學作品としての意義とを常に併有してゐる點では犯罪小說と何等異る所はない。從つて話本の文人化も謀計趣味の一點に對しては甚大なる影響は及ぼさなかつたものと見られる。唯豆棚間話だけは全然例外であり、西湖二集なども謀計の少い方であるが、笠翁の謀計趣味に至つては全く民間說公案作品への復古と云つてもよい位である。拙文に於て特に謀計小說の一項を設けたのも、話本作品中に於ける其の意義を重視した爲である。尙十二樓の筆法の如きは若し之を說公案類の本色たる犯罪小說、探偵小說等に應用したならば定めし傑出せる本格的作品を生み得たらうと思はれるが、作者の抱懷せる理想主義、人道主義は醜惡なる犯罪描寫と相容れず、時代の風氣も亦之を許さなかつたものと思はれる。

第六項　俠義小說

俠義小說は唐代傳奇に於ても一派の勢力を有し、長篇小說にあつても水滸傳以下傑作に富んでゐるが、話本作品の中では甚だ振はない。蓋し其の題材が通俗社會の實生活から離れたものが多い爲、創作の對象として不適當な點があつたものと思はれる。(既述の理想小說の中にも義俠を語つた作品は相當あるが、茲には特に唐代傳奇の豪俠の類に近いものを一括したのである。)

其の初期の作たる清平山堂話本の楊溫攔路虎傳は民間の武俠物語である。奇觀の裴晉公篇、西湖二集の韓晉公篇は共に艷情に關する俠義物語であり、通言の趙太祖篇は太祖が京娘を鄉里へ護送した故事であるが、末段に京娘が自殺して稍〻問題小說化してゐる。 恆言の李汧公篇は純粹の俠客物語として話本中の代表作である。 初拍になると面目は一轉し、程元玉篇に於ては女俠韋十一娘をして劍俠道の精神を說かしめて諷する所があり、烏將軍篇は稍〻說理小說化してゐる。 貪歡報の費人龍篇は掉尾の一篇として構想錯雜し、費人龍の妻が最初唐氏に救はれ、次で費が獄官に救はれ、最後に俠盜の力で惡人が除かれて居り、犯罪と謀計とを加味した俠義小說となつてゐる。 本編は此の書中にあつて全く異例の作風を示してゐる。

俠義小說の內容は概ね社會に對する何等かの不平不滿を材とし、作風は理想小說に準ずる理想主義と見られる。 尙謀計趣味は費人龍篇以外には殆ど現はれてゐない。

今、風世類の例に倣ひ說公案作品消長の迹を考察する爲、其の所屬話本七十六種に就て、各書別及び年代別に作品篇數を示せば第十四表及び第十五表の通りとなる。 表中(觀)と記したものは今古奇觀の中で古今小說より取つたもの、(觀)と記したものは凌濛初の原作より取つたものを示したのである。

此の二表によつて明かな如く、說公案類の創作は犯罪小說に始まつて謀計小說に終り、拍案驚奇以前に盛を極めて石點頭以後に衰へ、其の後貪歡報の犯罪趣味、十二樓の謀計趣味の如きは說公案類の爲に氣を吐いたものであるが大勢は既に決して、末期には全く風世類に壓倒せられて見るべきものを出さなかつた譯である。

此の點は說公案類が興味の基礎に於て飽く迄大衆文學たることを物語るものである。 唯初拍以後に於て犯罪小說の中に美人局小說の一體を增したことは文人作家の功績と見られるが、反面に於て此の體は謀計小說と共に說

第十四表　各書別説公案類分類表（各書重複の作は省略す）

書名＼分類	犯罪小説	裁判小説	探偵小説	復讐小説	謀計小説	俠義小説	計
㊁京	2						2
清	1	1				1	3
雨	2						2
觀	1	1				1	3
通	2		1	1	2	1	7
恒	4		3	2	5	1	15
拍	4	2	2	2	2	2	14
刻	1				3		4
石				1			1
西	1		1			1	3
醉	2						2
貪	9		1	1	1	1	13
樓					3		3
豆							
照	1				1		2
間		1			1		2
計	30	5	8	7	18	8	76

公案の軌道を歪曲せしめ、其の衰微を早めた經迹がないでもなかつたと思はれる。

第十五表　創作年代別説公案類分類表

分類＼年代	宋元（或？）	年代不詳	明〔三言以前〕或？	明〔初拍以後〕	清	計
犯罪小説	八	一	三	一七	一	三〇
裁判小説	一		一	二	一	五
探偵小説	一		三	四		八
復讐小説			三	四		七
謀計小説	一	二	四	六	五	一八
侠義小説	一		三	四		八
計	一二	三	一七	三七	七	七六

第七節　通論補説

話本小説の全貌は概ね以上の各節に亙って検討した所によって明かとな

つた譯であるが、尙二三の事項に就て補足して置きたい。

其の一は話本の入話に就てゞある。元來入話又は頭回とは正話又は正回を語る爲の前口上で、恰も我が國の落語、寄席萬歳の類の前口上と同じ性質を有し、固より絕對必要のものでもなく、一定の形式のある譯でもなく、又ある筈もないのであるが、音樂に喩ふれば前彈又は前奏曲に相當するものであつて、其の良否は作品の感覺に影響する所も少くない。話本の入話には小品文又は小短篇小說として佳なるものも多く、中には篇幅もかなり長いものがある。次に各話本集に就て其の槪略を檢討しやう。

京本通俗小說には入話のないものもあり、詩詞を以て入話としたものもあり、一故事を入話に語つたものは錯斬崔寧、馮玉梅團圓の二篇のみで、何れも正回と類似の物語である。唯拗相公篇に於ては周公恐懼の一絕を掲げて、周公、王莽の故事に及び、多少議論文に傾いてゐる。之は後世の話本で入話に勸戒、說理の辭を陳ねる源をなしたものゝ樣である。淸平山堂話本に於て、は詩詞を用ひたものが最も多く、故事を語つたものは簡帖和尙、刎頸鴛鴦會の二篇のみである。雨窗集も卷頭殘缺のものを除き、入話は殆ど詩詞より成り、李元篇だけが故事を載せてゐる。右の三書は大體に於て入話の原始形態を示したものと思はれる。

通言には以上の三書と重複した作もあり、然らざるものでも年代の古い作には詩詞のみのものも少くない。故事を引いたものゝ中には趙太祖篇の如く史論に傾いたものもあり、杜十娘篇の如く正話と沒交涉のものもある。樂小舍篇に於て錢塘看潮の事及び武肅王の事を述べ、白娘子篇に於て西湖の舊跡を述べた入話などは不即不離の妙趣を示してゐる。本書中最も傑出した入話は蘇知縣篇に於て李宏が秋江亭に酒色財氣の四精と會し各ゝ其の得失を論ずるを聞いた物語で、寓言の妙を極めてゐる。今、北曲の遺文に俏書生斷酒色財氣四套が傳へられてゐる。蓋し此の入話の基づく所と思はれる。通俗鑒戒的物語では呂大郎、鈍秀才二篇の入話が面白く、故事としても著名である。

恆言の入話は、約半數は詩詞のみより成つてゐる。其の他は通俗勸戒の故事が多く、其の中では張孝基篇の某尙書が五兒の中長子のみを讀書せしめ他を農工商賈に轉ぜしめた物語などは最も味ひが深い。通常の敍事文に屬するものでは蘇小妹篇に曹大家、蔡琰、謝道韞、上官婕妤、李易安、朱淑眞等の才女を列擧し、白玉孃篇に宋弘、羅敷、王允、買臣等を引いた入話などは類書に近い。李玉英篇では繼母の弊を縷說してゐる。

降つて純文人話本たる初拍に於ては入話を缺いたものは唐明皇篇のみで、他は悉く故事を以て入話としてゐる。其の內容は運命論的奇談、勸戒的故事、通常の敍事文の三種を中心とし、若干謀計趣味の故事などを交へてゐる。其の中程元玉篇、李公佐篇等は女俠、女傑の列傳で奇とするに足らないが、他は多く力めて人を驚かすに足る奇事を入話に用ひた迹が見られる。錢多處篇は稍〻趣を異にし、二則の笑話に近い諧謔的故事を掲げ、通閨闥篇も之に準ずる輕妙な諷刺談である。此の書の入話の故事は內容に於ては悉く正話に類似つものばかりで、餘り緊切し過ぎて却つて面白くないものも多い。

今古奇觀には實用向きの見地から原書の文辭を刪り、入話を除いたものが多く、原作の面目は此の書によつては十分窺ふことは出來ない。

石點頭には入話を缺いたものはないが、入話の內容は大分變化してゐる。侯官縣篇は李白の詩を引き、唐玄宗篇も李詩の擬作を引いて始まつて居り、郭挺之、盧夢仙、王本立、乞丐婦、王孺人、江都市、潘文子、諸篇は傳奇的又は勸諷的故事を用ひてゐるが、莽書生篇に於ては故事と共に大いに議論を挿み、瞿鳳奴、感恩鬼、貪婪漢、玉簫女諸篇に至つては故事を省略して專ら作者の人生觀論に終始してゐる。其の言ふ所は見るべきものも少くないが、小說の體裁としては稍〻理路に走つた嫌ひがある。

西湖二集の入話は主として勸諷的故事を引いて議論を交へたものが中心となつてゐる。議論に於ては覺闍黍篇の三教異同の辯、吳山頂上神仙篇の崇佛論等はよく作者の思想を語つてゐる。寓言小說としては邢君瑞篇の魚籃觀音の故事などは眞に妙筆である。故事、議論を兼ねて鋭い觀察を行つたものでは寄梅花篇の妬婦論、俠女散財篇の丫鬟論、巧妓佐夫篇の歌妓論、天台匠篇の尼菴論等が其の代表作で、何れも興味ある隨筆である。尙本書に於て注目すべきは入話に數則の故事を列べて、入話の入話に類するもの、數則連珠の妙を發揮して正話に入るものの等の多い點である。　話本集中此の書は最も入話の妙味を活用したものと云ふことが出來る。

醉醒石の入話は最も議論に富み、社會觀、人生觀のみを說いたものが恃孤忠、失燕翼、假虎威、逞小忿、王錦衣の五篇に及び、其の他のものに於ても故事の引用と前後して必ず諷刺、勸戒の激論を挿んでゐる。

貪歡報は入話の點では頗る變則であつて、詩を以て始まつた孔良宗篇、勸戒の辭を冠した木知日篇、王華と徐晞との故事二則を引いた王有道篇以外は全然入話を缺いてゐる。

十二樓の作品は奪錦樓以外は總て二回乃至六回の章回小說になつてゐるが、入話は妙味を發揮したものが多い。　纏つた故事を引いたものは歸正樓、拂雲樓、鶴歸樓の三篇のみで何れも勸戒的故事である。　其の他勸戒說理の辭のみより成るものは奪錦樓、十香樓、奉先樓の三篇、之に故事を交へたものは合影樓、三與樓の二篇で、夏宜樓、生我樓は詩詞より議論に入り、聞過樓は自作の詩を掲げて鄉居の樂を敍し、萃雅樓は花舖、書舖、香舖の三雅論より題目を引き出してゐる。入話の筆致は作者獨特の論法が多く、正話の內容と不卽不離の味ひを出してゐる。

豆棚間話は其の體裁上入話はなくても差支へない筈であるが、小乞兒、空青石、虎丘山、陳齋長諸篇以外は皆一則の入話を語つてから正話に入つてゐる。照世盃では七松園、掘新坑の二篇に議論文の入話があるのみである。

今古奇聞は選集であるから原書の面目は今詳かにし得ないが、奇聞のみに就て見れば、恒言、石點頭より引いたもの五篇は總て入話を削除し、之と梅嶼恨蹟及び文言二篇とを除いた他の作は二回又は三回の章回小說の體を取り、其の中には全然入話のないもの、二則の故事を二回に分つて併列したもの、通常の形式の入話を用ひたものゝ三種類がある。曹孝子篇の如きは二則の故事を併列し、第二回の初には又一則の入話を附してゐる。入話の內容には見るべきものは少い。

以上を要約すると話本の入話は最初詩詞に始まり、次で故事を取り、更に議論を交へ、或は議論のみを馳せ、隨筆の體裁をも兼ね、最後には故事に逆戻りして終つてゐる。其の間入話を缺いたものもあるが、大體に於て文人話本の入話は民間話本の入話の形式を襲ふと共に、茲に作者の創作態度を主張すべき絶好の餘白を發見したものと見ることが出來る。

次に簡單に各時代及び各話本集の作風を概括して、話本發達の迹を一考したい。參考の爲第六表に掲げた各體の話本篇數を創作年代及び作家別に示すと第十六表の通りとなる。(拍)と記したものは初拍及び今古奇觀中凌氏の原作を取つたものとを合せ算したものである。

其の中先づ宋元の舊作と云はれるものに就て觀察すると(既に第四表にも示した如く)靈怪、說公案の二類が最も多く、煙粉、風世の如きは極めて少數である。之が卽ち民間話本の本然の姿であつて、大衆に基礎を置いた興味本位の小說が如何なる性質を有するものなるかを如實に物語つてゐる。此の外に當時の大衆小說として長篇講史書のあつたことは云ふ迄もないが、之は歷史的大衆小說であつて、茲に云ふ民間話本とは別系統の大衆文學である。卽ち話本小說の原始形態は幻想、怪奇、犯罪、探偵の各體、換言すれば獵奇的、理智的興

第十六表　創作年代及作家別話本細分類表（各書重複の作は省略す）

年代及書名＼分類	幻想小説	道佛小説	艶情小説	歴史小説	理想小説	鑑戒小説	諷刺小説	説理小説
宋元（或？）	12	2	4	1		1	1	1
年代不詳	4	2	1	2				
明以前三言（或？）	5	6	7	1	13	3	2	4
㊗拍	2	2	5	1	3	1	1	5
㊗石			1			1	1	
㊗西	5	2	4	10	4	1	2	3
㊗醉				1	5	3	4	
㊗貪			3		1	1	1	1
㊗樓					1		1	1
㊗豆				3	3	1	2	2
㊗照							2	
㊗閒			1	1	6	3		
計	28	14	26	20	36	15	17	17

問題小說	犯罪小說	裁判小說	探偵小說	復讐小說	謀計小說	俠義小說	計
	8	1	1		1	1	34
	1				2		12
2	3	1	3	3	4	3	60
2	5	2	2	2	5	2	40
10				1			14
	1		1			1	34
	2						15
3	9		1	1	1	1	23
6					3		12
1							12
	1				1		4
2		1			1		15
26	30	5	8	7	18	8	275

味を主とした作品を中心とし、若干の言情小說、佛理小說等を之に配したものによつて構成せられてゐた譯である。今日の大衆文學の觀念も結局當時の大衆文學と根本的差違のないことが判る。特に靈怪類の假神仙篇を始とし

て鬼談、妖怪談に現はれた趣考、皂角林篇、小水灣篇等に現はれた謀計趣味、陳巡檢篇、鄭節使篇等に現はれた冒險趣味、說公案類の三現身篇、鬧樊樓篇等に現はれた幻想怪奇趣味の如きは、獵奇作品と理智作品との密接な連關を證據立てるものである。 從つて話本小說が靈怪、煙粉、講史、風世、說公案の各類に亙つて完備したのは明代に入つてからのことゝ見られ、其の完備した時には既に話本文人化の時代に入らんとしてゐたのである。

三言以前の書で年代不詳の作は概ね元明二代の民間話本又は稍ゝ文人化した作が多いものの樣で、作風も大體前代の作を繼承したと見られるが、題材より見て夔關篇、老馮唐篇、漢李廣篇の如きは特に文人化の傾向が顯著である。

明代の作で三言以前に屬するものを見ると、靈怪類十一種、煙粉類七種、講史類一種、風世類二十四種、說公案類十七種、合計六十種より成り、前代の作に比すれば、作品數の割合に風世類の激增と靈怪類の激減とが著しく、說公案類の比率も稍ゝ減じてゐるが、其の謀計趣味は煙粉、風世の二類にまで瀰漫してゐる。卽ち此の時期の作は風世要素の擡頭した點に於て著しく文人化した譯であるが、謀計趣味の勢力範圍の擴大された點に於ては理智的大衆性を推進させたものと見られる。　風世類中では大衆性の多い理想小說が過半を占めてゐる。

次に初拍と奇觀中凌濛初の原作を取つたものとに就て考察すると、先づ一人の作でありながら作品の多趣味、多方面なるに驚かされる。　卽ち第十六表に示した通り幻想小說二、道佛小說二、艶情小說五、歷史小說一、理想小說三、鑒戒小說一、諷刺小說一、說理小說五、問題小說二、犯罪小說五、裁判小說二、探偵小說二、復讐小說二、謀計小說五、俠義小說二、合計四十種より成つて居り、話本分類の十五種を悉く具備してゐる譯である。　此の點は凌氏が三言に踵を接して起つた文人話本創作家の先覺者であつた爲、其の著も三言の體裁を襲つて大衆的、文人的兩方面の悉ゆる趣味を兼備しやうと努めた結果と思はれる。　併し作風の一點より見れば、大體自然主義的筆致を以て一貫し、一部は惡魔主義の域に達し、一部は理想主義、浪漫主義を加味したものとなつてゐる。　又謀計趣味に於ても作者は非凡なる理智的大衆作家の本色を發揮してゐる。　凌氏の如きは實に話本作家中の大家と云ふことが出來る。

石點頭以下の各書には三言兩拍の如き集大成の妙味は見られないが、各作家各〻一壘に據つて一幟を立て、創作分業の時代を現出してゐる。石點頭の人道主義を基準とした問題作品、西湖二集の諷意と幻想趣味とを織込んだ歷史小說及び傳奇的作品、醉醒石の官場小說を中心とした諷刺、譴責、勸戒作品等は何れも比較的謀計趣味を敬遠した點に於て相共通してゐる。之に反し貪歡報は一面犯罪趣味、謀計趣味を以て一貫し、一面惡魔主義作品、諷刺作品、勸戒作品、傳奇的作品の四階段より成る言情作品集となつてゐる。

清代に入ると十二樓は謀計趣味の復古によつて問題小說の諧謔化を圖り、豆棚間話は理智的大衆性を排除して、沈痛なる諷刺、問題作品を出し、照世盃は十二樓の諧謔性を祖述して徹底せる滑稽作品を出してゐる。今古奇聞に取られた娛目醒心編の諸作は理想主義の復活を以て風世作品の通俗化を企てたものと思はれる。清代の各書が前代のものと異なる主要點は實に說公案類の不振と云ふことであるが、之は話本文人化の當然の結果でもあり、大衆文學としての重大なる缺陷を暴露した譯であつて、其の衰滅を早めた一因と思はれる。

要するに話本小說は最初大衆文學として靈怪、說公案の二類より興り、漸次文人化して風世類を生ずると共に先づ靈怪類を失ひ、次で說公案類を失ひ、遂に風世類の殘壘のみとなり、孤掌鳴らすに由なく、衰滅の一途を辿つた譯である。

併しながら六、百年の話本創作史上、或は大衆文學作品として、或は文人作品として、或は兩方面に跨つて、優篇傑作と見るべき作品は決して少くない。今通論を終るに當つて、本章に述べた所を要約する意味に於て、十五分類に基づき話本中各體の代表的佳作と思はれるものを數篇宛一括して第十七表に示した。敢て鄭氏の顰に倣つた譯ではないが、竊かに奇觀、奇聞の轍は避け得たと信じる。尙本表は文學史的意義の代表作を示したものではなく、專ら作品價値を基礎とした傑作を選出したものである。又一篇の作品で數體に跨る佳作も少くないが、此の點は既に述べたことであるから煩を避け一々斷らなかつた。

第十七表　話本傑作一覧表（話本二百七十五種中之七十八種）

一、幻想小說
(恒)6 小水灣(恒)26 薛錄事(通)28 白娘子(恒)25 獨孤生(拍)24 鹽官邑

二、道佛小說
(拍)28 金光洞主(恒)28 李道人(恒)37 杜子春

三、艷情小說
(恒)28 吳衙內(通)23 樂小舍(通)24 玉堂春(通)32 杜十娘(恒)3 賣油郎(西)11 寄梅花
(貪)15 馬玉貞

四、歷史小說
(拍)31 何道士(西)1 吳越王(豆)7 首陽山

五、理想小說
(通)31 趙春兒(恒)9 陳多壽(西)10 徐君寶(樓)11 生我樓(豆)5 小乞兒

六、鑒戒小說

(清)刎頸鴛鴦會(恒)29盧太學(石)8貪婪漢(西)5李鳳娘(醉)15王錦衣

七、諷刺小說

(通)2莊子休(拍)22錢多處(西)20巧妓佐夫(醉)8假虎威(樓)7拂雲樓(照)4掘新坑

八、說理小說

(拍)12陶家翁(西)3巧書生(貪)2吳千里(樓)8十卺樓

九、問題小說

(通)35況太守(拍)6趙六老(拍)17西山觀(石)4瞿鳳奴(石)5莽書生(石)10王孺人

(石)14潘文子(貪)3李月仙(貪)7陳之美(樓)1合影樓(樓)5歸正樓(樓)9鶴歸樓

(豆)8空青石

十、犯罪小說

(清)簡帖和尚(雨)錯認屍(通)13三現身(恒)14鬧樊樓(恒)34一文錢

(恒)16陸五漢(拍)11惡船家(貪)4香菜根(貪)9汪監生

十一、裁判小說

(觀)3滕大尹(拍)33張員外

十二、探偵小說

(恒)13勘皮靴(恒)15赫大卿(恒)39汪大尹(拍)2姚滴珠(拍)26奪風情

十三、復讐小說

(恒)20張廷秀(拍)6酒下酒(石)12侯官縣

十四、謀計小說

(恒)17張孝基(拍)15衞朝奉(貪)13兩房妻(樓)3三與樓(樓)4夏宜樓(樓)12聞過樓

十五、俠義小說

(通)21趙太祖(貪)16費人龍

第四章　他種文學との關係

話本小說と他種の小說又は他種の文學との異同點、相互關係等に關する研究は既に文學史、文學概論の領域に屬することであつて、區々の本論文に於て十分に檢討する遑はないが、話本小說の文學史上に於ける地位乃至意義を明かにする必要上、簡單に大局的觀察を行つて見たい。

第一に考ふべきことは民間文學との關係である。「云ふ迄もなく話本も發生期より文人化する迄の間は民間文學の一種であつた譯で、其の間及び前後に於ける他種民間文學との交涉、關係地位等は極めて重要な問題である。其の中、大衆小說文壇に於ける地位は既述の如く、長篇講史書が歷史的大衆小說の部門を擔當せるに對し、話本小說は獵奇的、理智的大衆小說の部門を中心とし、一部は大衆的人情小說の部門にも亙つてゐた譯である。尙章回體の靈怪類も獵奇的部門の一部として、加はり、同じく章回體の說公案類は歷史的大衆小說の別派をなしてゐたと見られる。

小說以外の民間雜文學に關しては古い時代の實情が今日不明な點の多い爲、正確な判斷は下し難いが、今日に傳はつてゐる民間文學資料より推定すれば、宋代の民間小說は唐五代の民間韻文文學より派生したと見られるのみならず、一般に話本の故事で著名な民間文學作品に現はれてゐるものは第十八表の如く其の例に乏しくない。

第十八表　話本作品、民間文學作品對照表

話本作品	民間文學作品
(京)15 錯斬崔寧	十五貫彈詞
(雨) 董永遇仙傳	唐代變文「孝子董永傳」
(通)5 呂大郞入話	昧心惡報寶卷
5 呂大郞	還金得子寶卷

11 蘇知縣	白羅衫鼓詞
24 玉堂春	玉堂春鼓詞、玉堂春彈詞
26 唐解元	笑中緣彈詞
28 白娘子	義妖傳彈詞、白蛇寶卷「雷峯塔與白蛇」傳說
(恒) 3 賣油郎	賣油郎鼓詞
15 赫大卿	玉蜻蜓彈詞（情節一部類似）
34 一文錢	一文錢彈詞
(西) 14 邢君瑞入話	魚籃寶卷
29 祖統制入話	「螺螄精與樵夫」傳說

右表の中で、董永遇仙傳は話本が變文の後を受け、錯斬崔寧は彈詞が話本の後を受けたものたることは明かであるが、其の他のものに至つては筆者は其の先後關係を審かにしないものが多い。併し右の如き相互關係の認められ

るものが少くない點より見て、他の民間文學と話本小説とは絶えず相前後して因となり果となりつゝ發達變遷を續けてゐたものと思はれる。從つて話本が文人化した後にも尙其の材を民間文學に仰いだものもあり、民間文學が話本の材を傳へたものも少くなかつたと推定される。

又民衆愛讀書の一たる包公案の如きも其の同內容のものが各種の話本集に現はれてゐるものは一部分既述の如く決して少くない。今之を一括して示せば第十九表の通りである。（包公案に關しては筆者は尙審かにしない點も少くないが、表中通行本とは今日通行の六十二則本又は五十八則本の事で、百則本の龍圖公案は諸種の理由により恐らく通行本よりも前の書と考へられる。其の中通行本にないもののみを示した譯である。相對照した話本作品との關係は鬧樊樓篇以外は概ね話本が後に出たものと思はれる。）

第十九表　包公案、話本作品對照表

通行本包公案	話本作品
批畫軸	(觀)3 滕大尹
借衣	(觀)24 陳御史
阿彌陀佛講和	(恒)16 陸五漢（一部分）　(貪)14 一宵緣（一部分）
殺假僧	(拍)36 東廊僧
味遺囑	(拍)33 張員外入話
巧拙顛倒	(西)16 月下老（主旨相似）
烏喚孤客	(西)33 周城隍「烏鵲」
賣皂靴	(西)33 周城隍「翠峯寺」
木印	(西)33 周城隍「小木布記」
江岸黑龍	(西)13 張採蓮入話

百則本龍圖公案	話本作品
紅牙球	(恒)14 鬧樊樓
陰溝賊	(西)33 周城隍「石仰塘」
三娘子	(西)33 周城隍「稍公王七」
奪傘破傘	(西)33 周城隍「爭傘」
死酒實死色	(貪)4 香棻根
岳州屠	(貪)7 陳之美
招帖收去	(貪)15 馬玉貞（一部分）

包公案の作品の體裁は話本小説と相當大なる差異があるが、作品要素は勿論、作品内容に於ても話本作品と交渉の多かつたことは此の表によつて明かである。 尚包公案の作品を本文に用ひた話本分類によつて檢討すれば、犯罪作品、探偵作品の二種を中心とし、若干の裁判作品、風世作品、幻想作品等より成

つて居り、作品要素に於ては話本小說の別體と見なすことが出來る。

　次に歷代文言小說と話本小說との關係に就て考察して見やう。宋元の話本に於ては作品要素の點では唐代傳奇と相通ずるものも多いが、傳奇の豪俠類に相當する話本の俠義小說としては僅かに揚溫攔路虎傳一篇が今日傳はつてゐるのみであり、說話の內容より見れば陳巡檢篇が唐人の補江總白猿傳と相似、西湖三塔記が唐人の白蛇記と稍〻相似たる以外に類似のものは乏しい。卽ち內容に於ては文人作品たる傳奇は民間文學たる話本に對し、何等直接の影響は及ぼさなかつたと見られる。　唯小說たる點に於て共通した要素も多いと云ふに過ぎない。

　然るに明代の文人話本には直接唐人傳奇を始め前代の文言小說に材を求めたものが少くない。　趙景深氏の考證せられた初拍の如きは其の適例であり西湖二集の如きも大部分は史材の敷衍である。　今參考の爲文言小說と話本作品との交涉の一例として、著名な唐人傳奇の話本化された作に就て筆者の氣づいたものを一括して例示すると第二十表の通りである。（但し話本の入話に取られた故事は除外した。)

第二十表　唐人傳奇、話本作品對照表

唐人傳奇	話本作品
雍陶、英雄傳「裴度」又見玉堂閒話	(觀)4 裴晉公
許棠、「吳保安傳」又見紀聞	(觀)11 吳保安
戴君孚、廣異記「勤自勵」	(恒)5 大樹坡
任蕃、夢遊錄「獨孤遐叔」又見河東記	(恒)25 獨孤生
無名氏、「魚服記」又見續玄怪錄	(恒)26 薛錄事
薛用弱、集異記「李淸」	(恒)28 李道人
鄭還古、「杜子春傳」又見續玄怪錄	(恒)37 杜子春
薛用弱、集異記「裴越客」	(拍)5 感神明
李公佐、「謝小娥傳」	(拍)19 李公佐

無名氏、陰德傳「劉弘敬」	(拍)20李克讓
尉遲樞、南楚新聞「郭使君」	(拍)22錢多處
張讀、宣室志「李生」	(拍)30王大使
范攄、雲溪友議「韋皐」	(石)9玉簫女
孟棨、本事詩「開元製衣女」	(石)13唐玄宗
孟棨、本事詩「戎昱」	(西)9韓晋公
無名氏、「馬自然傳」又見續仙傳	(西)30馬神仙
李景亮、「人虎傳」又見宣室志	(醉)6高才生

此等の話本作品は何れも傳奇の故事を骨子として敷衍潤飾したもので、兩者の異同點、進化過程等は興味ある考察の對象であるが茲には省略したい。(尙初拍の李克讓篇の如きは傳奇の故事の年代を引下げて北宋の時の事と記してゐる。)

其の他明末に編纂せられた艶異篇、情史、智囊補等の内容で話本作品に現はれたものは頗る多い。即ち文人話本には前代の故事を敷衍したものが相當多かつた譯であるが、唯清初の作たる十二樓のみは、筆者の知る限りに於て、純然たる作者自身の創作のみより成るものと考へられる。又貪歡報、照世盃の二書も略〻之に準ずべき創作集ではないかと思ふ。（但し貪歡報には百則本龍圖公案と同じ故事が二三あることは第十八表に示した通りである。）尙話本小說の内容及び作品要素は清代中葉以後の文言小說に現はれたものが少くない。今例證は省略するが、殊に風世、說公案の二類に於て著しい。之は話本文人化の當然の歸結であつて怪しむに足りないことである。

　話本小說と文言小說との相違點は一々列擧する迄もなく、兩者の通俗性と文人性、創作態度の相違と篇幅の長短等によつて趣を異にするに至つたものである。文言小說が宋以後、傳奇、志怪書の舊套を墨守して、古典化の一途を辿つたに對し、話本小說は同じ時期に民間より興つて漸次文人化して行つたものであつて、兩者の間には文學生命の降り坂と昇り坂との大勢の差が認められる。

同じく通俗小説の一體たる長篇章回小説と話本小説との關係も頗る興味ある問題である。兩者は共に大衆文學として宋代に興り、明以後話本が文人化の一方向に傾けるに對し、長篇小説は一部は文人化し、一部は尚大衆文學として生命を保つたのであるが、其の間話本の內容及び作品要素は絕えず長篇小説に流入し、之を刺戟して行つた迹が見られる。「殊に長篇の才子佳人小說、清代の長篇風世類、清代說公案類の一部等は最も話本の要素を繼承した所が多いもの〻樣である。唯話本中にも一部は文言小說及び長篇小說より直接影響を受けたものもある。明代の歷史小說に屬する話本の如きがそれである。（尚話本と他種小說との交涉を要約すれば卷頭の第一表に示した通りとなる。」

今、長篇小說と話本小說との作品要素比較の爲、孫氏の長篇小說目錄と筆者の話本分類とを對照すれば第二十一表の如くである。線によつて繫いだものは兩者の作品要素の相當するものを示し、括弧內の數字は作品篇數を示し

たものである。(尙孫氏の書目と筆者の分類とは若干性質も異なるから之は

第二十一表　話本小説と長篇小説との作品要素對照表

話本分類(二七五)	孫氏長篇小説書目(四三二)
三、講史類(歴史小説)(二〇)	講史部(一四九)
二、煙粉類(艷情小説)(二六) 幻想的艷情小説(六) 風世的艷情小説(七) 一般艷情小説(一三)	小説部(二七三) 煙粉第一(一五八) 色情之屬(三六) 才子佳人之屬(七〇) 英雄兒女之屬(一五) 猥褻之屬(三七)
一、靈怪類(四二) 幻想小説(二八) 道佛小説(一四)	靈怪第二(四六)

五、説公案類（七六）

犯罪小説（三〇）
裁判小説（一五）
探偵小説（一八）
復讐小説（一七）
謀計小説（一八）
侠義小説（一八）

説公案第三（三〇）

忠義之屬（二四）
精察之屬（一六）

四、諷世類（一一一）

理想小説（三六）
鑒戒小説（一五）
諷刺小説（一七）
説理小説（一七）
問題小説（二六）

諷世第四（三八）

諷刺之屬（二二）
勸戒之屬（一六）

大體の觀察に過ぎないものである。

此の表によつて明かな如く長篇の作品は煙粉及び講史部に多いのに對し

て、話本の作品は風世類及び說公案類に多い。又作品の性質より見れば、長篇に於ては講史部、靈怪、說公案の三者が大衆文學的意義を有し、煙粉、風世の二者は文人作品たるに比し、話本に於ては靈怪類、說公案類が大衆性に富み、煙粉類、講史類、風世類に文人化したものが多い。

作品要素より見れば、話本の謀計趣味は說公案類に止まらずして、煙粉、風世二類に迄普及したのに對して、長篇に於ては說公案以外では才子佳人の一屬に主として見られるに過ぎない。又風世要素も話本では煙粉、講史、說公案の各類にも波及してゐるが、長篇では殆ど風世の一類に限られてゐる。大衆文學の一要素たる幻想趣味に就て觀察しても、話本では幻想小說を中心として靈怪、煙粉、講史、風世の各類に亙つて相當勢力を占めてゐるのに對し、長篇では靈怪作品以外には餘り重視されてゐない。此等の點は話本作品が長篇作品に比し大衆性、文人性の兩面を兼ねたものゝ多いことを物語る譯である。

之を創作年代より見れば、長篇の講史、靈怪の二類は話本の靈怪類、說公案類と略〻相並行して發達し、煙粉、風世の兩者に於ては大體、話本作品が長篇作品の先驅となつたと見られ、講史のみは話本が長篇の大衆作品に擬して文人化し、説公案中の理智的大衆性の方面は長篇は清代後期に至つて始めて開拓され、それ迄は短篇話本の獨擅場であつたと見られる。

之を要するに話本と長篇作品とは單に篇幅に長短の差があつたゞけではなく、大衆文壇、文人文壇の各方面にあつて、時代及び趣味に於て各ゝ擔當分野の異つた作品が多かつたと見られる譯である。　一般に短篇の創作が長篇の創作の前提となることは小説發達の常道と考へられてゐるが、話本作品と長篇章回小説との關係も亦此の常道を外れてはゐないと云ふことが出來る。

次に民間文學、小説以外の文學作品で話本との交渉の多いものは戲曲である。　話本と同一情節の故事を劇化したものは宋元明清に亙つて頗る多い。今、宋元の曲本で話本作品と同一故事を演じたものを列擧すると第二十二表の通りである。

第二十二表　宋元曲本、話本作品對照表

宋元曲本	話本作品
宋代戲文、陳巡檢梅嶺失妻 殘存二十七曲	(清) 陳巡檢梅嶺失妻記
元代雜劇、柳耆卿詩酒翫江樓 殘存十二曲	(清) 柳耆卿詩酒翫江樓
同 包龍圖智賺合同文字	(清) 合同文字記
同 漢張良辭朝歸山 殘存一曲	(清) 張子房慕道記
同 曹伯明錯勘贓 僅存書名	(雨) 曹伯明錯勘贓記
同 死生交范張鷄黍	(雨) 死生交范張鷄黍
同 鼓盆歌莊子嘆骷髏 殘存二曲	(通) 2 莊子休
同 崔府君斷冤家債主	(拍) 35 訴窮漢 入話
同 看錢奴買冤家債主	(拍) 35 訴窮漢
同 散家財天賜老生兒	(觀) 30 念親恩
同 玉簫女兩世姻緣	(石) 9 玉簫女

右の中、合同文字記は話本が曲本よりも古く、陳巡檢篇、曹伯明篇は話本と曲本と何れが古いか不明であるが、其の他の作は概ね曲本が話本よりも古いものゝ樣である。降つて明清の雜劇傳奇に話本の故事の現はれたものに至つては枚擧に遑がない。蓋し民間文學的意義を有してゐた宋元の曲本が同じく民間文學たる話本と相通ずるものがあり、文人作品化した明清の曲本に文人話本と同じ故事が多いと云ふことは當然の現象と思はれる。尙清代中葉以後の民間戲劇にも話本の故事の現はれたものは少くないが、茲には煩を避けて省略する。

其の他話本の風世的故事は清代に於ける六諭の宣講書の類に迄取られたものさへ見られる。今參考の爲現在通行の二三の宣講書に就て筆者の氣づいたものを列擧すれば第二十三表の如く其の例に乏しくないことが判る。

第二十三表　話本作品、宣講書對照表

話本作品	宣講書
㊒26李克讓	宣講集要　卷五　賣身葬父

出典	巻	題	宣講書	巻	題
㊀恒	2	三孝廉 入話	宣講集要	巻六	荊樹三田
聞	9	康友仁 第一回	同	巻九	疎財美報
拍	18	丹客半黍	同	巻九	焼丹詐財報德（但是古文非宣講體）
恒	2	三孝廉	同	巻十	讓產立名
樓	11	生我樓	同	巻十	小樓逢子
拍	11	惡船家	同	巻十三	王生買鼈
拍	20	李克讓	宣講拾遺	巻三	盛德格天 附賣身葬父
通	5	呂大郎 入話	同	巻四	阻善毒兒
通	5	呂大郎	同	巻四	天工巧報
拍	35	訴窮漢 入話	同	巻六	償討分明
觀	3	滕大尹	宣講大全	巻五	鬼斷家私

固より宣講書の類は觀念上文學作品の一體とは言ひ難いかも知れないが、

實質上說書文學の一傍系をなしたものとも考へられる。以上に検討した如く、話本作品の文學史上に殘した足跡は實に大なるものがあつたと云ふことが出來る。

尙話本小說の勢力が我が國の江戶時代、泰西の十九世紀の大衆文學にも相當の影響を與へたと思はれる所も少くないが、玆には割愛したい。兎も角話本小說の諸要素中、民衆文學として犯罪趣味、謀計趣味等の早くから發達してゐたことなどは驚異に値ひする現象であつて、世界に於ける理智的大衆小說の始祖は或は宋元の話本ではないかと推測される點もある。

第五章　結　論

最後に話本小說の文學作品としての意義に就て以上各章に論じた所を概括したい。話本作品は其の性質上、少くとも幻想的大衆小說、理智的大衆小說、言情小說、通俗風世小說、高度風世小說の五種の要素より成つてゐる、其の中民間作品に於ては略〻前四種を有し、文人話本に於てば五種を完備してゐる。一篇宛の作品に就て觀れば、明清のものには二種又は三種の要素を兼ねた作が多く、宋元のものには一種又は二種の要素に止まるものが多い。從つて其の作品價值を檢討するには複合せる各要素を分析認識しなければ正確な判斷を下すことは出來ない譯である。

例へば石點頭の諸作の如きは高度風世小說兼言情小說として佳なるものは多いが、理智的大衆小說として傑れたものは少く、十二樓の諸作の如きは高度風世小說兼理智的大衆小說として傑れたものが多く、言情小說として佳なるものは少い。若し石點頭に理智的大衆小説の傑作を求むれば王孺人、盧夢仙の二篇位に止まり、十二樓より言情小説の佳作を選べば合影樓の一篇に盡きる。而して王孺人篇の如きは高度風世小説の雄たると共に理智的大衆作品の完作であり、合影樓の如きは理智的興味の大なると共に言情小説及び高度風世作品としても傑作と見られる。

凡そかくの如き例は話本作品の過半に亙つて見られる所であつて、話本文學の價値も亦大衆文學的方面と純文學的方面とに跨つて存するものと云ふことが出來る。作風より見れば自然主義、惡魔主義、人道主義の諸作に於て其の最高峯に達し、大衆性より見れば謀計趣味の洗錬せられたる犯罪小説、探偵小説に於て其の頂點に達してゐたものと見られる。

尙話本作品が文學史上以外にも、旣に繆氏の醉醒石論、阿英氏の西湖二集論等に論ぜられた如く、社會史、文化史的方面に於て我等に敎へる所の大なるものあるは明かである。殊に明末の諸作に現はれたる當時の社會各方面の腐敗墮落の如きは實に社會裏面史の好資料である。

今我等は顧みて話本小說盛衰の迹を俯仰する時、其の六百年の歷史と各種各樣の作品とは文學の運命乃至使命に對する興味ある幾多の暗示を投じてゐるものゝ如く感じられるのである。